قبل أن تبرد القهوة

BEFORE THE COFFEE GETS COLD

توشيكازو كواغوشي

Toshikazu Kawaguchi

قبل أن تبرد القهوة

BEFORE THE COFFEE GETS COLD

رواية

ترجمة

منتدى فايز علمي

مراجعة وتحرير

مركز التعريب والبرمجة

الدار العربية للعلوم ناشرون

Arab Scientific Publishers, Inc. S.A.L

يتضمن هذا الكتاب ترجمة الأصل الإنكليزي

BEFORE THE COFFEE GETS COLD

حقوق الترجمة العربية مرخّص بها قانونيًا من الناشر

الطبعة الأولى: تشرين الأول/أكتوبر 2020 م - 1442 هـ

ردمك 978-614-01-3147-7

إصدار

الدار العربية للعلوم ناشرون م م ح

التوزيع في المملكة العربية السعودية

دار إقــراء للنـــشــر

مركز الأعمال، مدينة الشارقة للنشر

المنطقة الحرة، الشارقة

الإمارات العربية المتحدة

جوال: 585597200 971+ - داخلي: 0585597200

هاتف: 786233 - 785108 - 785107 (1-961+)

البريد الإلكتروني: asp@asp.com.lb

الموقع على شبكة الإنترنت: http://www.asp.com.lb

facebook.com/ASPArabic twitter.com/ASPArabic www.aspbooks.com asparabic

تصميم الغلاف: **علي القهوجي**

I

العاشقان

انتصب الرجل واقفاً، وأمسك بحقيبته، وهو يتمتم: «يا إلهي لقد حان الوقت، آسف، عليّ بالمغادرة».

سألته المرأة: «ماذا؟».

وهي تحدّق إليه بارتياب، وإن لم تسمعه يقول إن الأمر انتهى، لكنه منذ ثلاث سنوات ناداها بحبيبتي ليتهرب من محادثة جدية... وها هو يعلن الآن فجأة أنه مسافر إلى أميركا في غضون ساعات، وأن عليه بالمغادرة فوراً. وعلى الرغم من عدم سماعها هذه الكلمات، إلا أنّها توقّعت أن الحديث المهم على وشك البدء. ولكنها كانت مخطئة عندما اعتقدت أن هذا الحديث المهم سيتضمن على سبيل المثال جملة «هل تقبلين الزواج بي؟».

أجاب الرجل بجفاء: «ماذا؟». من دون أن ينظر إلى عينيها حتى.

سألته: «ألا أستحق أي تبرير؟».

خاطبته المرأة وكأنها تستجوبه، وهذا ما كان يكرهه الرجل. كانا يجلسان في مقهى خالٍ من النوافذ، وقد أنارت المكان ستة مصابيح متدلية من السقف أحاطت بها مظلات ستّ، بالإضافة إلى مصباح

جداري عند المدخل، وقد طليت جدرانه بدرجات متفاوتة من اللون البني، ولم يكن من طريقة ليعرف الشخص الجالس داخل المقهى أكان الوقت نهاراً أم ليلاً، ما لم ينظر إلى الساعة.

عُلّقت على أحد جدران المقهى ثلاث ساعات عتيقة، أشارت كل واحدة منها إلى توقيت مختلف، أكانت تشير إلى الوقت في أماكن مختلفة؟ أم أنها كانت معطّلة؟ لم يكن بوسع الزبائن الجدد معرفة سبب ذلك، كما لم يكن لديهم من خيار لمعرفة الوقت سوى النظر إلى ساعات أيديهم، وهذا ما فعله الرجل، وهو يحك أعلى حاجبه، ويرخي شفته السفلى قليلاً.

فوجدت المرأة أن تعابير وجهه مستفزة.

ومن دون تفكير، عبّرت عما يجول في خاطرها: «لماذا تنظر إليّ بهذه الطريقة؟ وكأنني أنا من يسبّب الإزعاج؟».

تردّد قبل أن يقول: «لا شيء، كل ما في الأمر أنني أفكر في أمر ما».

«لكنني لا أفكر بك».

لكنها أصرت قائلة: «يبدو عليك أنك منزعج».

وعندما أرخى شفته مرة أخرى، تجنب النظر إليها، ولم يقل شيئاً.

ولكن صمته جعلها تستشيط غضباً، فسألته: «أتريد أن أكون أنا من يقول ذلك؟».

أمسك بفنجان القهوة، التي لم تعد ساخنة، وقد فقدت جزءاً أساسياً من طعمها اللذيذ، فاشتدّ غضب المرأة.

مجدداً نظر الرجل إلى ساعته، ليتأكد من اقتراب موعد إقلاع طائرته، كان عليه بمغادرة المقهى قريباً. فلم يستطع ضبط توتره، وقد بدا ذلك جلياً عليه من خلال معاودته حك أعلى حاجبه.

أزعجها، اهتمامه المفرط بالوقت، ما دفعها إلى إعادة فنجان قهوتها بعصبية إلى الطاولة، فأصدر صوتاً قوياً، عندما ارتطم بالصحن.

فاجأه الصوت العالي الذي تسببت به، فرفع خصلات شعره عن جبينه بالأصابع التي كان يحك بها أعلى حاجبه قبل قليل. وبعدها تنفس بعمق، وحدّق إلى وجهها، والهدوء يغمر وجهه.

فجأة، تغيّرت ملامح الرجل بشكل كبير، وهذا أذهل المرأة، التي غضّت طرفها، وشبكت أصابعها في حضنها.

لم ينتظر الرجل الذي بدا جلياً أن الوقت يداهمه أن تعاود المرأة النظر إليه بل قال لها: «الآن، اسمعيني...».

لم يكن يتمتم هذه المرة، بعد أن تمالك نفسه واستعاد تركيزه.

لكن بدا واضحاً أن المرأة لم تكن ترغب في أن ينطق بما لا تريد أن تسمعه، فقالت له من دون أن تنظر إليه: «لماذا لا تمضي وحسب».

لقد رفضت سماع التفسير الذي طالبت به، فتسمّر الرجل في مكانه ولم يقم بأي حركة، بعد أن بدا له أن الزمن قد توقف.

فاخترقت الصّمت بطريقة طفولية ومزعجة قائلة: «حان موعد الرحيل، أليس كذلك؟».

فنظر إليها محتاراً، وكأنه لم يفهم ما رمتْ إليه.

وعندما أدركت كم بدت طريقتها طفولية ومزعجة، أشاحت وجهها بعيداً عنه، وعضت على شفتها السفلى. فنهض الرجل، وخاطب النادلة التي تقف خلف المنضدة بصوت منخفض: «من فضلك الفاتورة».

حاول الرجل التقاط الفاتورة، ولكن يد المرأة ضغطت عليها.

«سأبقى بعض الوقت... لذا أنا من ستدفع الحساب». هذا ما قصدت قوله، لكنه سحب الفاتورة من تحت يدها بسهولة، وتوجه نحو الصندوق ليدفع.

«أنتما معاً، شكراً».

«قلت لك اتركها».

من دون أن تتحرّك عن كرسيها، مدّت يدها باتجاه الرجل، الذي أخرج ألفين من محفظته من دون أن ينظر إليها.

قال وهو يعطي النادلة ورقة نقدية من فئة الألفين بالإضافة إلى الفاتورة: «احتفظي بالباقي».

ثمّ التفت الرجل نحو المرأة وقد غمر الحزن ملامح وجهه، قبل أن يحمل حقيبته ويغادر.

صوت رنين وضجيج

قالت فوميكو كيوكاوا: «... هذا ما حصل منذ أسبوع».

تهاوى الجزء العلوي من جسمها فوق الطاولة مثل بالون ينكمش، وفي أثناء انهيارها، تجنّبت سكب فنجان القهوة أمامها.

نظرت النادلة والشخص الذي جلس إلى الطاولة بعد أن استمعا إلى قصة فوميكو إلى بعضهما بعضاً.

قبل أن تنهي فوميكو المدرسة الثانوية، كانت تتقن ست لغات، وبعد تخرجها من جامعة واسيدا، انضمت إلى شركة تكنولوجيا معلومات رئيسية ذات صلة بالطب في طوكيو، وبحلول عامها الثاني في الشركة، كُلّفت بإدارة العديد من المشاريع. فكانت مثالاً للمرأة الذكية التي تتقن عملها.

اليوم، ارتدت فوميكو ملابس العمل العادية: بلوزة بيضاء، تنورة وسترة سوداء. ومن خلال مظهرها، يتّضح أنها كانت متوجّهة إلى العمل.

بدت فوميكو في أفضل حال، وهي التي أنعم عليها الرب بملامح دقيقة، وشفتين صغيرتين، ووجه يشبه وجوه مغنيات البوب. لمع شعرها الأسود المتوسط الطول وبدا أكثر إشراقاً. وعلى الرغم من ملابسها المحافظة، لم يكن من الصعب ملاحظة قوامها الرشيق الذي يشبه قوام عارضات الأزياء اللواتي تظهر صورهن في المجلات، لقد لفت جمالها انتباه الجميع، وهي التي جمعت بين نعمتي الجمال والذكاء، ولكن هل كانت تدرك ما تتمتع به؟

في الماضي، لم تعر فوميكو هذا الأمر اهتماماً، إذ كرّست حياتها للعمل. ولكن هذا لا يعني أنها لم تقم بعلاقات غرامية، بل يعني أن الأولوية في حياتها كانت للعمل، وهي التي اعتادت أن تقول «إنني أعشق عملي». لذا، كانت تبعد الرجال الذين يرغبون في التودد إليها بالسهولة عينها التي كانت تبعد ذرات الغبار عن أثاث بيتها.

إن الرجل الذي تتحدث عنه هو غورو كاتادا، وهو مهندس أنظمة يعمل مثلها في شركة طبية إلا أنّها لم تكن من الشركات الكبرى. لقد وقعت في حبه حين التقت به قبل عامين من أجل العمل معاً على تنفيذ مشروع لأحد الزبائن.

قبل أسبوع، طلب منها أن يلتقيا ليتحدثا بأمر مهم، فوصلت إلى مكان اللقاء مرتدية ثوباً وردياً فاتحاً، وفوقه معطفاً ربيعياً قشدي اللون، وانتعلت حذاء أبيض عالي الكعب. لقد لفتت نظر كل الرجال الذين التقوا بها في أثناء توجّهها إلى موعدها. بدت فوميكو بثيابها هذه بمظهر جديد مختلف عن مظهرها المعتاد، فقبل علاقتها بغورو لم يكن لديها سوى تلك الملابس البسيطة التي تليق بالعمل الذي كانت مدمنة عليه، حتى أنها كانت ترتدي تلك الملابس خلال مواعيدها معه، لأن معظم لقاءاتهما كانت تحصل بعد دوام العمل.

قال لها إنهما سيتحدثان بأمر مهم، وهذا ما استنتجته عبر محادثة خاصة، ما دفعها إلى شراء ملابس ترتقي بها إلى مستوى تطلعاتها بشأن اللقاء.

وصلا إلى المقهى، فوجدا لافتة معلّقة على واجهته، كتب عليها أن المقهى مغلق لأسباب طارئة، فخاب أملهما، لأنه كان مكاناً مثالياً للقاء، إذ كانت كل مقصورة تحتوي على طاولة واحدة فقط، فلم يعد أمامهما من خيار سوى البحث عن مكان آخر. فرأيا لافتة لمقهى يقع في نهاية زقاق هادئ، وبما أنه يقع في طابق سفليّ، لم يستطيعا اكتشاف ما بداخله، لكنه أعجب فوميكو، لأنه اسمه هو

عنـوان إحـدى الأغانـي التي اعتادت أن ترددهـا عندما كانت طفلة، فقرّرا دخوله.

ما إن دخلت المقهى حتى ندمت على قرارها، إذ بدا أصغر مما تخيلته، فمنضدته لها ثلاث كراسي فقط، كما كان يحتوي على ثلاث طاولات لكل منها كرسيان. كان المقهى يبدو ممتلئاً على الرغم من أن عدد رواده لا يتجاوز التسعة.

وإن لم يتحدثا همساً بالأمر المهم، فسيسمع الجميع حديثهما. بـدا الآخـرون أمامهـا كظلال وقد انعكس اللـون البني عليهم بفضل تلـك المصابيـح ذات المظـلات... فلـم يرقهـا ذلـك المنظـر علـى الإطلاق.

مكان للصفقات المشبوهة...

كان هذا انطباع فوميكو الأول عن هذا المقهى. شـقّت طريقها نحو الطاولة الوحيدة الفارغة وجلست وملامح االريبة تعلو وجهها. فقد ضمّ المقهى ثلاثة زبائن آخرين ونادلة واحدة.

خلف الطاولة البعيدة منها جلسـت بهدوء امرأة ارتدت فسـتاناً أبيـض قصيـر الكميـن تقـرأ كتابـاً، وأمّـا خلـف الطاولـة القريبـة من المدخـل فجلـس رجـل وضع أمامه على الطاولة مجلة سـفر، وكان يدوّن المذكرات في دفتر ملاحظات صغير. أما المرأة الجالسة خلف المنضدة، فارتدت قميصاً أحمر لامعاً، وسروالاً أخضر ضيقاً. وتدلى كيمونـو عديـم الكمين على الجزء الخلفي من كرسـيها، كانت تضع أسـطوانات للـفّ شـعر رأسـها، فألقـت نظـرة خاطفة نحـو فوميكو، وابتسـمت ابتسـامة عريضـة وهي تنظر إليها. وخـلال الحديث الذي

دار بيـن فوميكـو وغـورو، كانـت المرأة تخبر النادلة شـيئاً ما، وتتبعه بضحكة صاخبة، وقد تكرّر ذلك عدّة مرات.

* * *

عند سـماع تفسـير فوميكو، قالت المرأة التي تضع أسـطوانات الشعر: «لقد فهمت...».

فـي الواقـع، لـم تفهم شـيئاً على الإطلاق، لكنهـا لم ترد إلا أن تقـدّم تعليقـاً مناسـباً. كانـت تُدعى يايكو هيـراي، وهي إحدى زبائن المقهـى الدّائميـن، تبلـغ الثلاثين من عمرها، وتدير مطعماً للوجبات السّـريعة يقـع فـي الجـوار، وحانة، تعمل فيها كمضيفـة. إنها تحضر يومياً إلى هذا المقهى لتحتسي فنجان قهوة قبل أن تتوجه إلى عملها. وهي دائماً تضع الأسطوانات على شعرها، لكنها ارتدت اليوم فستاناً أصفر مكشوف الكتفين، وتنورة قصيرة حمراء زاهية اللون وجوربين أرجوانيين طويلين. جلست هيراي على كرسي خلف المنضدة شابكة قدميها وهي تستمع إلى فوميكو.

نهضـت فوميكـو، ونظـرت إلـى النادلـة التـي وقفـت خلـف المنضدة.

أجابـت النادلـة بانزعـاج: «نعـم...» حتى مـن دون أن تنظر إلى فوميكو.

اسم النادلة هو كازو توكيتا. وهي ابنة عم المالك.

تعمل كازو نادلة وفي الوقت نفسـه تتابع دراسـتها في جامعة طوكيو للفنون. كازو جميلة الوجه، شـاحبة البشـرة لوزية العينين، ولكن ملامحها لم تكن جذابة إلى الحدّ الذي يحول دون نسيانها.

إن نظـرت إليهـا، وأغمضـت عينيـك، وحاولـت تذكـر ملامحهـا، لـن تتذكـر منها شـيئاً. باختصـار، كانت ملامحهـا مبهمة، ولم يكن حضورهـا طاغيـاً، كمـا لـم يكـن لها أصدقاء كثر، ولـم يبدُ أن ذلك يزعجهـا، لأنهـا من النـوع الذي يرى أن العلاقات الاجتماعية مملة إلى حدّ ما.

سـألتها هيـراي أثناء مداعبتها لفنجان القهـوة: «إذاً... ماذا عنه؟ أين هو الآن؟». فلم تبدُ مهتمة على الإطلاق.

أجابت فوميكو وقد انتفخ خداها مثل البالونين: «في أميركا».

لطالمـا تمتعـت هيراي بموهبة أتاحت لها الدخول مباشـرة إلى صلب الموضوع: «يعني أن حبيبك فضّل العمل عليك؟».

اعترضت فوميكو: «لا، هذا غير صحيح».

أجابتها هيراي، وهي تواجه صعوبة في فهم فوميكو: «لكنه سافر إلى أميركا؟ وهذا الخبر صحيح، أليس كذلك؟».

أجابت فوميكو بحدّة: «ألم تفهمي ما شرحته لك؟».

«ما الذي لم أفهمه؟».

«أردت أن أصرخ وأقول له لا تذهب، لكن كبريائي منعني».

وحين أرجعت هيراي ظهرها، فقدت توازنها، وكادت تقع عن الكرسي.

تجاهلت فوميكو ردّة فعل هيراي: «فهمتِ الآن، أليس كذلك؟». محاولة أن تبحث عن القليل من الدعم من كازو.

فتظاهـرت كازو أنهـا تفكـر بعمق، ثم أجابـت: «فهمت أنك لم تريديه أن يسافر، أليس كذلك؟».

كذلك حاولت كازو أن تدخل مباشرة إلى صلب الموضوع.

«في الواقع، أعتقد... لا، لم أعنِ هذا. لكن...».

بعد أن رأت هيراي الصعوبة التي تعاني منها فوميكو في التعبير عن شعورها قالت: «ليس من السهل أن نفهمك».

لو كانت هيراي مكان فوميكو، ما كانت لتكتفي بالبكاء بل لكانت صرخت: «لا تذهب». أما إن بكت فستكون دموعها دموع التماسيح، لان الدموع بمفهوم هيراي سلاح المرأة وليست تعبيراً عن الألم وحسب.

التفتت فوميكو نحو كازو التي جلست على الكرسي وسط المنضدة وكانت عيناها تلمعان وهي تتوسّل إليها قائلة: «أياً يكن الأمر، هل يمكنك أن تعيدينا إلى ذلك اليوم من الأسبوع الماضي».

كانت هيراي أول من تجاوبت مع طلبها المجنون بالعودة إلى ما حدث في الأسبوع الماضي، فنظرت إلى كازو بحاجبين مرفوعين، «قالت إنها لا تريد العودة إلى الماضي...».

تمتمت كازو بتوتر: «أوه...» ولم تضف شيئاً.

لقد مرّت سنوات منذ أن حصل المقهى على شهرته في ضوء «أسطورة حضرية» زعمت أنه يستطيع إعادة الناس إلى الزمن الماضي. لم تكن فوميكو مهتمة بهذه المزاعم، وقد تناست تلك المعلومة، فالصدفة ولا شيء غيرها جعلتها تدخل المقهى الأسبوع الماضي، لكن ليلة أمس، وبينما كانت تشاهد أحد البرامج عبر التلفاز، سمعت المذيعة تتحدث عن «أساطير حضرية»، ولمعت المعلومة في رأسها مثل الصاعقة، تذكرت المقهى فوراً. المقهى الذي يستطيع العودة

بالناس عبر الزمن. لم تتمكن من تذكر المعلومات بشكل كلي، لكنها تذكرت تلك العبارة الرئيسية بوضوح.

إذا عدت إلى الماضي، ربما أتمكن من تصحيح الأمور، ربما أتمكن من إجراء محادثة مع غورو مرة أخرى. ترددت هذه الرغبة الخيالية مراراً وتكراراً في ذهنها. حتى سيطرت عليها، ولم تعد قادرة على التفكير بحصافة.

في صباح اليوم التالي، ذهبت إلى العمل، من دون تناول طعام الفطور، ولم تستطع التركيز في عملها، إذ ظلّت تفكر في العودة إلى الماضي، وقررت أن تتأكد من إمكان حصول ذلك، من دون تأخير. انتهى دوام عملها بعد سلسلة طويلة من الأخطاء، لأنها كانت مشتتة التفكير، وتشتتها كان ظاهراً للعيان ما دفع زميل لها إلى الاطمئنان عن صحتها.

استغرقت الرحلة بالقطار من مقر عملها إلى المقهى ثلاثين دقيقة، وحين توقّف القطار أمام المحطة اجتازت المسافة التي تفصل بين المحطة والمقهى خلال ثوانٍ، وعندما وصلت كانت أنفاسها متقطعة، ومع ذلك، توجهت مباشرة نحو كازو.

قبل أن تتمكن كازو من الترحيب بها رجتها فوميكو قائلة: «أرجوك أعيديني إلى الماضي».

استمرت بإيماءاتها لها في هذا السياق حتى أوضحت غايتها. ولكنها الآن، بدأت تشعر بالقلق عندما تمعّنت بردة فعل المرأتين.

استمرت هيراي في التحديق إليها، وعلت وجهها ابتسامة ساخرة، بينما علا وجه كازو ملامح الذهول، وتجنبت النظر إلى

عينيها.

فكّرت فوميكو في أنها لو كانت محقة بشأن العودة في الزمن، لعجّ المكان بالناس، لكن لم يكن هناك من أحد سوى المرأة التي ترتدي ثوباً أبيض، والرجل الذي يقرأ مجلة سفر، وهيراي وكازو. الوجوه نفسها التي كانت قبل أسبوع.

سألت بقلق: «يمكن العودة إلى الماضي، أليس كذلك؟».

ربما كان من الحكمة أن تبدأ بهذا السؤال. لكن الأوان فات على أي حال.

سألت: «حسناً، هل هذا ممكن أم لا؟». وحدّقت مباشرة إلى كازو التي وقفت في الطرف المقابل من المنضدة.

أجابت كازو: «هممم...».

لمعت عينا فوميكو مجدّداً، فهي لم تسمع نفياً قاطعاً لسؤالها. بدأ يحيط بها تيار من الحماسة.

«أرجوكِ أعيديني إلى الماضي».

توسلت بإلحاح وحماسة لدرجة أنها أوشكت أن تقفز فوق المنضدة.

سألتها هيراي بهدوء، وهي ترتشف رشفة من قهوتها الفاترة: «لماذا تريدين العودة إلى الماضي؟».

قالت بجدية: «أريد أن أعوض عما مضى».

قالت هيراي باستهجان: «لقد فهمت...».

رفعت صوتها: «رجاءً». فتردد صدى صوتها في أرجاء المقهى. لم تخطر لها فكرة الزواج من غورو سوى في الآونة الأخيرة.

ففي هذا العام بلغت الثامنة والعشرين من عمرها، وقد تكرّر استجواب والديها المثابرين، اللذين يعيشان في هاكوداته، في مناسبات عديدة، أمازلت لا تفكرين في الزواج؟ ألم تقابلي رجلاً لطيفاً؟ بالإضافة إلى كلام آخر من هذا القبيل. أمّا في العام الماضي، فأصبح إلحاح والديها أكثر حدة عندما تزوجت أختها البالغة من العمر خمسة وعشرين عاماً. ما جعل والديها يراسلانها أسبوعياً ليلحا عليها في الزواج. وبالإضافة إلى شقيقتها الصغرى، كان لدى فوميكو أيضاً شقيق يبلغ من العمر ثلاثة وعشرين عاماً. تزوج هو الآخر في مسقط رأسه من فتاة حملت منه بشكل مفاجئ، وبالتالي لم يبقَ سواها فتاة عزباء في العائلة.

لم تكن فوميكو متلهّفة إلى الزواج، ولكن بعد أن تزوجت أختها الصغيرة، تبدّلت أفكارها. وفكّرت أن الزواج بغورو قد لا يكون سيئاً.

أخرجت هيراي سيجارة من حقيبتها المصنوعة من جلد النمر الاصطناعي.

«ربما من الأفضل أن تشرحي لها الأمر بشكل واضح... ألا تعتقدين ذلك؟». قالت ذلك بطريقة عملية وهي تشعل سيجارتها.

أجابت كازو بصوت خافت وهي تتجه إلى الجهة المقابلة من المنضدة، ثم وقفت أمام فوميكو: «أعتقد أنه يجب عليّ ذلك». نظرت إلى عينيها بلطف كما لو كانت تواسي طفلاً يبكي.

«أريدك أن تستمعي إليّ بتمعّن، حسناً؟».

«ماذا؟». شعرت فوميكو بالتوتر يجتاح جسدها كله.

«صحيح أنه يمكنكِ العودة بالزمن، ولكن...».

«لكن...؟».

«عندما تعودين، لن يتغير حاضرك مهما فعلتِ».

لن يتغير الحاضر. لم يكن هذا ما توقعت فوميكو سماعه، وهو شيء لم تستطع استيعابه. قالت بصوت عالٍ ومن دون تفكير: «ماذا؟».

واصلت كازو شرحها بهدوء: «حتى وإن عدت بالزمن، وأخبرت حبيبك الذي ذهب إلى أميركا بما تشعرين به...».

«حتى لو أخبرته بحقيقة مشاعري؟».

«لن يتغير الحاضر».

«ماذا؟». لم ترغب فوميكو بسماع الجواب، فسدّت أذنيها.

لكن كازو تابعت بعفوية قائلةً الكلمات التي لم ترد فوميكو سماعها: «لن تتغير حقيقة أنه سافر إلى أميركا».

سرت رعشة غريبة في جسدها كلّه.

واصلت كازو شرحها من دون أن تبالي بمشاعرها: «حتى وإن عدتِ بالزمن، وأفصحت عن حقيقة مشاعرك، وطلبت منه ألا يذهب، لن يتغير الحاضر».

أجابت فوميكو باندفاع وتحدٍّ ردّاً على كلمات كازو القاسية: «هذا يناقض الهدف نوعاً ما، ألا تعتقدين ذلك».

قالت هيراي: «تمهلي قليلاً...لا تغضبي من المرسال». أخذت مجة من سيجارتها، ولم تبدُ متفاجئة من ردّ فعل فوميكو.

سألت فوميكو كازو: «لماذا؟». وعيناها تتوسلان بحثاً عن إجابات ترضيها.

بـدأت كازو بالشـرح: «لمـاذا؟ حسـناً سـأخبرك، لأن هـذه هي القاعدة».

عادة يقوم أي فيلم أو رواية عن السـفر عبر الزمن على قاعدة أساسـية وهـي عـدم التدخّـل في أي حدث قد يغيـر الحاضر. على سـبيل المثـال، إن عـدت بالزمـن، ومنعـت والديك مـن الزواج أو اللقاء، فذلك من شأنه أن يمحو ظروف ولادتك، ويتسبب في زوال ذاتك الحالية.

كان هذا هو الأساس في معظم قصص السفر عبر الزمن التي عرفتها فوميكو، لذلك آمنت بالقاعدة: إذا غيّرت الماضي، فسيتغير الحاضـر. لقـد أرادت بشـدّة العـودة إلى الماضـي والحصول على فرصـة لتغييـر الأمـور مرة أخـرى. ولكن للأسـف، كان ذلك حلماً بعيد المنال.

أرادت سماع تفسير مقنع لوجود هذه القاعدة التي لا مبرّر لها، وهي أنه لا يوجد شيء يمكنك القيام به في الماضي لتغيير الحاضر. التفسير الوحيد الذي قدّمته كازو هو: «هذه هي القاعدة». هل كانت تحاول مضايقتها بأسلوب ودود من دون أن تخبرها بالسبب؟ أم أن الفكرة صعبة ولم تستطع شـرحها؟ أو ربما ببسـاطة هي الأخرى لا تفهم السبب، كما أوحت تعابير وجهها.

بدت هيراي وكأنها تتأمّل تعابير فوميكو، قبل أن تقول بسـرور واضح وهي تنفث دخان سيجارتها: «حظك عاثر».

كانت قد حضّرت تلك الجملة منذ أن بدأت فوميكو بالشـرح، وانتظرت اللحظة المناسبة لقولها منذ ذلك الحين.

«لكن لماذا؟». شعرت فوميكو أن طاقة جسدها مستنزفة تماماً.

في الوقت الذي تهاوت فيه على الكرسي، استعادت ذكرى لا تزال حية في تفكيرها، فقد سبق لها أن قرأت مقالاً حول هذا المقهى في إحدى المجلات، وكان المقال بعنوان «كشف الحقيقة وراء مقهى السفر عبر الزمن الذي اشتهر بفضل أسطورة حضرية». تلخص جوهر المقال على النحو التالي.

لقد ذاعت شهرة مقهى فونيكولي فونيكولا، واحتشدت الطوابير أمامه يومياً، بسبب قصة السفر عبر الزمن، ولكن لم يعثر على أي شخص قبل السفر عبر الزمن، بسبب القواعد المزعجة التي يجب اتباعها. فالقاعدة الأولى هي: الأشخاص الوحيدون الذين يمكنك مقابلتهم في الماضي هم أولئك الذين زاروا المقهى.

وهذا يتعارض عادةً مع الغرض من العودة. وهناك قاعدة أخرى أيضاً وهي: ما من شيء يمكن القيام به في الماضي، يمكن أن يؤثر في الحاضر. وعندما سُئل أصحاب المقهى عن سبب وجود هاتين القاعدتين، أجابوا بأنهم لا يعرفون السبب.

وبما أن كاتب المقال لم يتمكن من العثور على شخص سافر عبر الزمن، على الرغم من إمكان حصول ذلك السفر، فقد ظل الأمر لغزاً محيّراً حتى يومنا هذا، وإذا افترضنا أن السفر ممكن، إلا أن عدم القدرة على تغيير أي شيء في الحاضر، جعل ذلك عديم الجدوى.

وقد اختتم المقال بالإشارة إلى أن هذه الأسطورة الحضرية مثيرة للاهتمام، ولكن من الصعب معرفة منشئها، وفي حاشية المقال

ذُكر أن هناك قواعد أخرى يجب اتباعها، ولكن لم تُذكر في المقال.

استجمعت فوميكو أفكارها لسماع هيراي التي كانت تجلس قبالتها خلف الطاولة، وهي تشرح لها بمرح القواعد الأخرى، فكانت تحني رأسها تارة وكتفيها تارة أخرى صوب الطاولة، فحدّقت فوميكو إلى وعاء السكر، وتساءلت لماذا لا يستخدمون مكعبات السكر، ثم تابعت الإصغاء بهدوء.

قالت هيراي: «لا يقتصر الأمر على هاتين القاعدتين، فهناك المزيد من القواعد ومنها أن هناك مقعداً واحداً فقط يسمح لك باستخدامه للعودة في الزمن، حسناً؟ وإن صرت في الماضي، لا يمكنك النهوض عن هذا المقعد». فطرحت سؤالا على كازو: «ماذا هناك أيضاً؟». وانتقلت إلى أصبعها الخامس وهي تعدد القواعد.

قالت كازو: «هناك حدّ زمني»، من دون أن تبعد عينيها عن الزجاج الذي كانت تمسحه. لقد ذكرت ذلك وكأنه أمر ثانوي، أو كما لو كانت تتحدث مع نفسها.

رفعت فوميكو رأسها مستفسرة: «حدّ زمني؟».

ابتسمت كازو ابتسامة خفيفة، ثم أومأت إليها برأسها.

دفعت هيراي الطاولة قليلاً وقالت: «بصراحة، بعد سماع هذه القواعد، لم يعد يرغب أحد في السفر عبر الزمن». بدت مستمتعة بوقتها، وفي غاية السعادة وهي تراقب فوميكو «لقد مرّ وقت طويل منذ أن رأينا زبوناً مثلك غارقاً في أوهامه إلى هذه الدرجة ويرغب في العودة إلى الماضي».

قالت كازو بصرامة: «هيراي...».

«ببساطة لا تقدم لك الحياة السعادة على طبق من فضة، فلماذا لا تتوقفين عن ذلك؟». وبدت مستعدة لمتابعة الكلام.

فزجرتها كازو هذه المرة بحزم أكبر: «هيراي...».

«لا، أعتقد أنه من الأفضل أن نشرح لها الأمر بوضوح، أليس كذلك؟». ثم قهقهت بصخب.

ما تفوهت به كان أكثر مما يمكن لفوميكو تحمله، فقد استنزفت قدرتها على التحمل، ومرة أخرى ألقت برأسها على الطاولة.

ومن الطرف المقابل من الغرفة... «من فضلك هل يمكنك إعادة ملء فنجان القهوة؟». قال الرجل الذي يجلس خلف الطاولة القريبة من المدخل، ومجلة السفر مفتوحة أمامه.

أجابته كازو: «حسناً».

دخلت امرأة المقهى. كانت ترتدي سترة صوفية قشدية اللون فوق قميص أزرق فاتح، وتنتعل حذاء رياضياً قرمزي اللون، وتحمل حقيبة من قماش بيضاء اللون، وكان وجهها مستديراً أما عيناها فمشرقتان كما لو أنهما عينا طفلة صغيرة.

تردد صدى صوت كازو عبر المقهى: «مرحباً».

«مرحباً، كازو».

«أختاه! أهلاً بك».

نادتها كازو بأختها، ولكنها كانت زوجة ابن عمها، **كي** توكيتا.

ابتسمت كي وقالت: «يبدو أن أزهار الكرز شبعت من هذه الحياة». ولم تبدُ حزينة لموتها.

أجابتها كازو باحترام: «نعم، أصبحت الأشجار عارية». كانت

نبرة صوتها هذه مختلفة عن تلك التي استخدمتها وهي تتحدث إلى فوميكو. بدت الآن أكثر لطفاً ونعومة مثل اليمامة.

قالت هيراي وهي تنتقل من طاولة فوميكو إلى المنضدة، وكأنها لم تعد مهتمة بالسخرية من مصيبة فوميكو: «مساء الخير، أين كنت؟».

«في المستشفى».

«لماذا؟ مجرد فحص روتيني؟».

«نعم».

«تبدو بشرتك مشرقة اليوم».

«نعم، أشعر أنني بحالة جيدة».

أمالت كي برأسها بفضول، وألقت نظرة خاطفة على فوميكو التي لا تزال منهارة فوق الطاولة. فأومأت هيراي إليها، ثم دخلت كي إلى الغرفة الخلفية، واختفت وراء المنضدة.

صوت ضجيج قادم من الباب

بعد فترة وجيزة من اختفاء كي داخل الغرفة الخلفية، أطل رأس رجل طويل من المدخل، حانياً رأسه حتى لا يصطدم بإطار الباب. كان يرتدي سترة رقيقة فوق زي الطهاة الرسمي المكوّن من قميص أبيض وسروال أسود. ثم أمسك بمجموعة كبيرة من المفاتيح بيده اليمنى. لقد كان ذلك هو ناغاري توكيتا، صاحب المقهى.

رحّبت به كازو: «مساء الخير».

أومأ ناغاري لها برأسه ردّاً على تحيتها، ونظر إلى الرجل

الجالس إلى الطاولة القريبة من المدخل الحامل مجلة بين يديه.

دخلت كازو إلى المطبخ لتحضر مزيداً من القهوة لإعادة ملء فنجان القهوة الفارغ الذي رفعته هيراي بصمت، بينما راقبت هيراي- التي اتّكأت على مرفقها فوق الطاولة- ناغاري بصمت.

وقف ناغاري أمام الرجل المنشغل بمجلته، وقال بلطف: «فوساغي».

للحظة، لم يُبدِ الرجل المدعو بفوساغي أيّ ردّة فعل، وكأنه لم يسمع من ينادي باسمه، ثم رفع ناظريه ببطء نحو ناغاري، فأومأ له بتهذيب، وقال: «مرحباً».

أجابه فوساغي: «مرحباً». وعلت وجهه تعابير غير مبالية. وسرعان ما انشغل مجدداً بمجلته. للحظة، بقي ناغاري واقفاً هناك يحدق إلى الرجل.

ثم نادى صوب المطبخ: «كازو».

أطلت كازو برأسها من باب المطبخ وقالت: «ماذا هناك؟».

«اتصلي بكوتاكي من فضلك».

حيّر طلبه كازو لبعض الوقت.

ثم تابع كلامه وهو يواجه فوساغي: «نعم، ذلك لأنها كانت تبحث عن...».

فهمت كازو ما قصده وأجابت: «حسناً».

وبعد إعادة ملء فنجان هيراي، اختفت داخل الغرفة الخلفية مجدداً لإجراء المكالمة الهاتفية.

ألقى ناغاري نظرة جانبية على فوميكو المنهارة فوق الطاولة

وهو يمشي خلف المنضدة وتناول كوباً من الرف، وأخرج علبة من عصير البرتقال من الثلاجة الموضوعة تحت المنضدة، وصبه بلا مبالاة في الكوب ثم شربه.

ثم أخذ ناغاري الكوب إلى المطبخ لغسله. وبعد برهة، سمع نقر أظافر على المنضدة، فأطل برأسه من المطبخ ليرى ما يحدث.

لوّحت له هيراي، فاقترب منها بهدوء وقطرات الماء تتساقط من يديه المبللتين. فانحنت قليلاً فوق المنضدة، وهمست إليه بكلام وهو يبحث عن بعض المناديل الورقية: «كيف وجدته؟».

تمتم والغموض يعلو وجهه: «هممم...» ربما هذه طريقته للإجابة عن السؤال، أو ربما كان يتنهد بإحباط أثناء بحثه عن مناديل ورقية. فخفضت هيراي صوتها أكثر.

«كيف كانت نتيجة التحاليل؟».

حكّ ناغاري مقدمة أنفه لفترة وجيزة متجاهلاً السؤال تماماً.

فكررت هيراي السؤال بصوت يغمره الحزن: «هل هي سيئة؟».

لم تتغير ملامح وجه ناغاري.

أوضح بعد تمتمته بكلمات غير واضحة، وكأنه يتحدث إلى نفسه: «بغض النظر عن النتائج، قرر الأطباء أنها لا تحتاج إلى دخول المستشفى».

تنهدت هيراي بحسرة، وقالت وهي تنظر إلى الغرفة الخلفية حيث كانت كي: «فهمت...».

لقد ولدت كي بقلب ضعيف، وأمضت حياتها وهي تدخل إلى

المستشفيات وتخرج منها. ومع ذلك، ولأن الرب أنعم عليها بطبيعة ودية وهادئة، تمكنت دائماً من الابتسام، بغض النظر عن مدى سوء حالتها. كانت هيراي تدرك هذا الجانب منها، لهذا السبب تكلمت مع ناغاري.

أخيراً، عثر ناغاري على المناديل الورقية ومسح يديه: «كيف حالك يا هيراي؟ هل أنت بخير؟».

لم تكن هيراي متأكدة تماماً مما سألها عنه ناغاري، فاتسعت عيناها وقالت: «ما الذي تقصده؟».

«لقد كثرت زيارات أختك لك في الآونة الأخيرة، أليس كذلك؟».

أجابت هيراي وهي تجول بنظرها في أرجاء المقهى: «نعم، أعتقد ذلك».

«يدير والداك نزلاً سياحياً، أليس كذلك؟».

«نعم، هذا صحيح».

لم يعرف ناغاري الكثير من التفاصيل حول هذا الموضوع، لكنه سمع أنه وبسبب مغادرة هيراي منزل العائلة، تولت أختها إدارة النزل: «لا بد أنه يصعب على أختك، العمل وحدها».

«لا، لقد تأقلمت مع هذا الوضع بشكل تام. أختي مؤهلة لإدارة مثل هذا العمل».

«ومع ذلك...».

انفجرت هيراي غضباً: «لقد مرّ وقت طويل، لا يمكنني العودة إلى المنزل الآن».

ثم أخرجت محفظة كبيرة من حقيبتها المصنوعة من جلد النمر، فكانت كبيرة للغاية، لدرجة أنها بدت وكأنها أشبه بالقاموس لا المحفظة، وقد جلجلت محفظتها عندما بدأت تبحث عن العملات المعدنية.

«لم لا؟».

أجابت وهي تحرك رأسها، وبالكاد تبتسم: «حتى لو عدت إلى المنزل، فلن أتمكن من تقديم المساعدة».

«لكن...».

قالت مقاطعة ناغاري: «أياً يكن الأمر، شكراً على القهوة، يجب أن أُغادر». وضعت نقود القهوة على المنضدة، ثم نهضت وخرجت من الباب، وكأنها تهرب من المحادثة.

صوت ضجيج

أثناء التقاطه القطع النقدية التي تركتها هيراي، ألقى ناغاري نظرة خاطفة إلى فوميكو المنهارة على الطاولة، لم يكن مهتماً بهوية المرأة، التي تحني رأسها فوق الطاولة. جمع القطع النقدية، والتقطها بيده الكبيرة بمرح.

«مرحباً يا أخي». ظهر وجه كازو وهي تناديه، فقد اعتبرت كازو ناغاري «أخاها» على الرغم من أنه ابن عمها وليس أخاها.

«ماذا؟».

«أختي تناديك».

جال ناغاري بعينيه في أرجاء المقهى، وقال: «حسناً، أنا قادم».

وضع القطع النقدية بعفوية في يد كازو.

قالت كازو: «تقول كوتاكي إنها ستأتي في الحال».

تلقى ناغاري تلك الأخبار، فردّ بإيماءة لها وقال: «هل بإمكانك الاعتناء بالمقهى؟». وقبل أن يختفي في الغرفة الخلفية.

أجابت: «حسناً».

لم يكن في المقهى سوى المرأة التي تقرأ رواية، وفوميكو المنهارة فوق الطاولة، وفوساغي الذي انهمك بتدوين ملاحظات حول المجلة المفتوحة أمامه على الطاولة.

وبعد أن أودعت كازو العملات المعدنية في آلة النقود، حملت فنجان القهوة الذي تركته هيراي خلفها في الوقت الذي دقت فيه إحدى ساعات الحائط الثلاث القديمة المعلّقة على جدار المقهى خمس دقات مدوية.

«قهوة، من فضلك».

طلب فوساغي من كازو التي وقفت خلف المنضدة، وهو يرفع فنجان قهوته القهوة، إذ لم تعد كازو لملء فنجان قهوته كما طلب منها سابقاً.

صرخت كازو التي تنبّهت إلى سهوتها: «صحيح!». وعادت مسرعة إلى المطبخ، ثم خرجت مرة أخرى وهي تحمل إبريقاً زجاجياً شفافاً مليئاً بالقهوة.

* * *

همست فوميكو وهي لا تزال منهارة على الطاولة: «حتى ذلك سيكون مقبولاً».

وبعـد أن أعـادت كازو ملء فنجان فوسـاغي، لفت انتباهها ردّة فعل فوميكو التي كانت تراقبها بطرف عينها.

فقـد جلسـت فوميكو منتصبة الظهر وهـي تقول: «يمكنني تقبل هـذا الأمـر، لا بـأس إذا لـم يتغير شـيء، يمكن أن تبقى الأشـياء كما هـي». ثـم نهضـت وتوجهت نحو كازو، وقد تخطّت قليلاً المسـاحة المسموحة لها بالاقتراب من الآخرين. فوضعت فنجان القهوة بلطف أمام فوساغي، ثم عبست وتراجعت بضع خطوات إلى الخلف.

قالت: «صحيح...».

ثم اقتربت فوميكو منها أكثر: «حسناً، أعيديني في الزمن... إلى الأسبوع الماضي!».

بدا وكأن شكوكها قد تلاشت، ولم يعد يظهر الشك في نبرتها، بل لم يبقَ سوى شعورها باللهفة للعودة إلى الماضي. فقد كانت تتقد حماسة، وتنفسها بدا متسارعاً.

«لكن...».

شعرت كازو بالانزعاج من سلوك فوميكو المتغطرس، فتخطتها، وعادت إلى خلف المنضدة وكأنها تبحث عن مخبأ.

ثم تابعت حديثها: «هناك قاعدة أخرى مهمة».

ارتفـع حاجبـا فوميكو عالياً لسـماع هذه الكلمـات: «ماذا؟ هل هناك المزيد من القواعد؟».

«لا يمكنك مقابلة أشخاص لم يزوروا هذا المقهى، ولا يمكنك تغيير الحاضر، وهناك مقعد واحد يأخذك إلى الماضي، ولا يمكنك النهـوض عنـه، وأخيراً عليك بالالتزام بالحدّ الزمني»، عدّت فوميكو

على أصابعها الخمس القواعد الأساسية، وكان صوتها يزداد حدّة عند ذكر كل قاعدة.

«لعلّ هذه القاعدة الأكثر جدلاً».

شعرت فوميكو بالانزعاج فالقواعد التي عرفتها حتى الآن تكيّفت معها، إلا أن سماعها بوجود قاعدة أكثر جدلاً يفطر قلبها.

ومع ذلك، عضّت على شفتها السفلى وقالت: «حسناً، لا بأس، فليكن، أخبريني ما هي». ثم لفّت فوميكو ذراعيها فوق بعضهما، وأومأت لكازو، كما لو أنها تؤكد عزمها.

تنهدت كازو تنهيدة قصيرة وهي تقول: «حسناً سأفعل». واختفت داخل المطبخ، لتعيد الأبريق الزجاجي الشفاف الذي كانت تحمله إلى مكانه.

ظلت فوميكو بمفردها، وهي تتنفس بعمق، لتتمكن من التركيز أكثر، ففي البداية كان هدفها العودة إلى الماضي لمنع غورو بطريقة ما من الذهاب إلى أميركا.

بدت تلك الفكرة سيئة، ولكن إذا اعترفت له بحقيقة مشاعرها، فقد يتخلى غورو عن فكرة السفر. وإذا سارت الأمور على ما يرام، فقد يتمكنا من البقاء معاً مدى الحياة. أياً يكن الأمر، فالسبب الأساسي لرغبتها في العودة إلى الماضي هو تغيير الحاضر.

ولكن إذا لم يكن ذلك ممكناً، فإن ذهاب غورو إلى أميركا وانفصالهما عن بعضهما غير قابل للتغيير. بغض النظر، عن توق فوميكو ولهفتها إلى العودة بالزمن، فكل ما أرادته هو العودة بالزمن لاكتشاف ما سيحدث. وقد تركّز هدفها حول العودة، وخوض تجربة

تبدو خيالية.

لم تكن تدرك أكان ذلك تصرّفاً جيداً أم سيئاً. ثم رأت أنه قد يكون جيداً، فما السيئ فيه؟ عادت كازو، وهي تتنفس بعمق.

فبدا وجه فوميكو شاحباً مثل وجه المتهم الذي ينتظر صدور قرار المحكمة. وهي تنتظر ما ستقوله كازو التي وقفت خلف المنضدة وأعلنت: «لا يمكنك العودة إلى الماضي إلا إذا جلست على كرسي معين في هذا المقهى».

فأجابتها على الفور: «أين عليّ أن أجلس؟». وبسرعة جالت بعينيها في أرجاء المقهى وهي تتلفّت يميناً ويساراً مصدرة ضجيجاً صاخباً لشدّة حماستها.

فثبّتت كازو ناظريها على المرأة التي ارتدت فستاناً أبيض متجاهلةً ردّة فعلها.

تبعت فوميكو نظراتها الثابتة.

قالت كازو بهدوء: «هذا هو الكرسي».

همست فوميكو إليها من فوق المنضدة بينما بقيت عيناها مثبّتتان على المرأة التي ترتدي الفستان الأبيض: «الكرسي الذي تجلس عليه هذه المرأة؟».

أجابتها كازو ببساطة: «نعم».

وحتى قبل أن تنتهي من سماع ردّها المقتضب، توجّهت فوميكو مباشرة نحو المرأة التي ترتدي الفستان الأبيض.

فأظهرت للمرأة انطباعاً بأن الحظ قد هجرها. وقد تعارض جلدها الأبيض الناعم بشكل صارخ مع شعرها الأسود الطويل.

وعلى الرغم من حلول فصل الربيع، إلا أن الطقس كان لا يزال بارداً ولا يمكـن ارتـداء الثياب المكشـوفة، ومع ذلـك، فقد ارتدت المرأة فستاناً ذا كمين قصيرين، ولم يكن هناك ما يشير إلى أنها تحمل سترة معها. فشعرت فوميكو أن هنالك شيئاً مريباً، ولكن لم يكن الوقت مناسباً للتفكير بهواجسها.

تحدثت فوميكو إلى المرأة، وسألتها بأقصى ما استطاعت من هدوء: «عذراً، هل تمانعين إذا بدلنا كرسيينا؟». اعتبرت فوميكو بأنها تحدثت معها بأسلوب مؤدب وغير وقح؛ ومع ذلك لم تبدِ المرأة التي ترتدي الفستان الأبيض أي ردّة فعل. وبدا كما لو أنها لم تسمعها. فشعرت فوميكو بالإحباط. إلا أنّها استدركت أنه في بعض الأحيان، يمكن أن ينغمس الشخص في قراءة كتاب لدرجة أنه قد لا يسمع الآخرين والأصوات المحيطة به. وهكذا افترضت فوميكو أن هذا ما حصل مع المرأة.

فحاولت مرة أخرى.

«مرحباً، هل تسمعينني؟».

«...».

«أنت تضيعين وقتك».

أتى الصوت بشكل مفاجئ من خلف فوميكو، كانت تلك كازو، فاستغرقت فوميكو بعض الوقت محاولةً فهم ما قصدته.

أردت فقط أن أحصل على كرسيها، لم كنت أضيع وقتي؟ هل أُضيع وقتي عندما أطلب منها ذلك باحترام؟ مهلاً، وهل هذه قاعدة أخرى؟ هل عليّ معرفة هذه القاعدة قبل طلب ذلك؟ إذا كانت هذه

هي القضية، كان باستطاعتها أن تقول شيئاً أكثر فائدة من عبارة «أنت تضيعين وقتك...».

كانت تلك الأفكار التي دارت في ذهنها. لكنها في النهاية، سألت كازو سؤالاً بسيطاً بنظرة تملؤها البراءة: «لماذا؟».

أجابتها بحزم: «لأن هذه المرأة... شبح». لقد بدت جادة للغاية، وكأنها تقول الحقيقة المطلقة.

مرة أخرى، ازدحمت الأفكار في رأس فوميكو. شبح؟ شبح حقيقي يتأوّه؟ ذلك النوع من الأشباح الذي يظهر تحت شجرة الصفصاف الباكية في الصيف؟ أعلنت الفتاة ذلك بشكل عرضي للغاية. ربما أخطأتُ السمع؟ هل هذا ممكن؟

غرق رأس فوميكو في العديد من الأفكار المربكة.

«شبح؟».

«نعم».

«أنت تعبثين معي».

«لا، إنها شبح صدقيني».

احتارت فوميكو، التي لم تعلق على كلام كازو عبر تساؤلاتها عما إذا كانت الأشباح موجودة بالفعل أم لا. لكن ما لم تستطع تقبله هو احتمال أن تكون المرأة التي ترتدي الفستان الأبيض شبحاً. إذ إنها بدت حقيقية للغاية.

«اسمعي، يمكنني بوضوح...».

ثم أكملت كازو: «رؤيتها». كما لو أنها علمت ما كانت فوميكو على وشك قوله.

ارتبكت فوميكو: «لكن...».

ثمّ مدّت يدها نحو كتف المرأة من دون تفكير، فقالت لها كازو في اللحظة نفسها التي أوشكت فيها فوميكو أن تلمس المرأة التي ترتدي الفستان: «يمكنك لمسها».

مرة أخرى، كان ردّ كازو جاهزاً. وضعت فوميكو يدها على كتف المرأة، لتتأكد من أنه يمكن لمسها. ما من شك، في أنها شعرت بكتف المرأة وملمس الفستان الذي يغطي بشرتها الناعمة. فلم تصدق أن هذه المرأة شبح.

رفعت يدها بهدوء. ثم أرجعت يدها إلى كتف المرأة مرة أخرى. التفتت نحو كازو كما لو أنها تريد أن تقول، من الواضح أنه يمكنني لمسها، إن وصف هذه المرأة بالشبح أمر غير عقلاني!

لكن ظلّ وجه كازو بارداً وهادئاً وهي تردّد: «إنها شبح».

«حقاً؟ شبح؟».

اقتربت فوميكو أكثر من المرأة، ونظرت بفظاظة إلى وجهها مباشرة.

فأجابت كازو بكل ثقة: «أجل».

«لا أستطيع أن أصدق ذلك».

إذا أمكن لفوميكو رؤيتها ولم تتمكن من لمسها، فستتقبل تلك الحقيقة، ولكن هذا لم يحصل، فهي لمست المرأة التي كانت تسير على قدمين. فصحيح أنها لم تسمع بعنوان الكتاب الذي تقرأه من قبل، إلا أنه كان كتاباً عادياً. يمكن ابتياعه من أي مكان. ما جعل فوميكو تستبعد هذه النظرية.

لا يمكنك العودة إلى الماضي حقاً. كما لا يمكن لهذا المقهى إعادتك في الزّمن حقاً. إنها أكذوبة غايتها تشجيع الناس على ارتياد هذا المقهى. فعلى سبيل المثال، إن العدد الذي لا يحصى من القواعد المزعجة ليس هدفه سوى وضع عقبات لإثباط همة الراغبين في السفر عبر الزمن. وإذا اجتاز الزبون العائق الأول، فلا بد أن يحقق العائق الثاني الهدف بردع أولئك الزبائن الذين يصرون على العودة إلى الزمن الماضي، عبر إخافتهم بوجود شبح، وإجبارهم على التخلي عن الفكرة. والمرأة التي ترتدي الفستان الأبيض تخدعهم عبر تظاهرها بأنها شبح.

اشتد عناد فوميكو التي أصرت على السفر عبر الزمن.

وإذا كانت تلك كذبة فليكن. لكنني لن أنخدع بهذه الكذبة.

خاطبت فوميكو المرأة التي ترتدي الفستان بأدب: «اسمعي، سوف يكون ذلك لفترة قصيرة فقط. أرجو أن تسمحي لي بالجلوس هناك».

ولكن كلماتها لم تصل إلى مسمع المرأة التي واصلت القراءة من دون أن تظهر أي ردّة فعل.

استاءت فوميكو لأن المرأة تجاهلتها بهذه الطريقة، فأمسكت ذراعها وسحبتها عن كرسيها.

فحذّرتها كازو بصوتٍ عالٍ: «توقفي! لا يجدر بك القيام بذلك».

«أنت! توقفي! توقفي عن تجاهلي!».

وتابعت فوميكو سحب المرأة التي ترتدي الفستان عن الكرسي بالقوة.

ها قد حصل الأمر... اتسعت عينا المرأة وحدّقت إليها بشراسة.

فشعرت فوميكو بأن وزن جسدها قد ازداد أضعافاً مضاعفة. كما لو أن عشرات البطانيات الثقيلة سقطت عليها. وخفت الضوء في المقهى وبدا كسطوع ضوء الشمعة. ثم بدأ يتردد صدى نحيب خارق للطبيعة في أرجاء المقهى.

ولم تعد قادرة على تحريك عضلة واحدة من عضلات جسدها، فجثت على ركبتيها، ثم سقطت وبدأت تزحف على الأرض.

«ماذا يحصل؟ ماذا يحصل؟».

لم يكن لديها أدنى فكرة عما يحدث. ابتسمت كازو بتعجرف، وكأنها تقول لها «لقد حذرتك». ثم قالت بهدوء: «لقد لعنتك».

عندما سمعت فوميكو كلمة لعنة، لم تفهم قصدها في بادئ الأمر.

فسألتها عابسة: «ماذا؟».

لم تعد فوميكو قادرة على تحمل ضغط القوى غير المرئية، التي بدا أنها تزداد قوة، فاستلقت على الأرض مستسلمة.

«ماذا؟ ما هذا؟ ما الذي يجري؟».

أجابتها كازو وهي تتّجه نحو المطبخ: «إنها لعنة. لقد تجاهلتني وفعلتِ ما تريدين، وها قد لعنتك الآن».

تركت كازو فوميكو وحدها ممدّدة على الأرض.

لم تتمكّن فوميكو من رؤية كازو لأنها كانت ممدّدة على الأرض. لكنها تمكنت من سماع خطواتها وهي تغادر الغرفة وقد رافق صوت خطواتها أذنيها إلى أن توارت عن الأنظار.

فسيطرت عليها مشاعر الخوف الشديد، وبدأت ترتجف كورقة في مهب الريح أو كما لو أن أحدهم صبّ ماءً بارداً فوق جسدها.

«لا بـد أنـك تمازحينـني. انظـري إلـيّ! مـا الـذي يمكننـي فعله؟».

لـم تتلقَ جواباً، واستمرّت فوميكو ترتعش.

لا تزال المرأة التي ترتدي الفستان الأبيض تحدّق إلى فوميكو وتعابير مرعبة تعلو وجهها. فبدت شـخصاً مختلفاً للغاية عن المرأة التي كانت تقرأ الكتاب بكل هدوء منذ لحظات.

نادت فوميكو كازو: «ساعديني! ساعديني رجاءً!».

عادت كازو بكل هدوء، لكنها لم تستطع رؤيتها، فكانت تحمل بيدها إبريق القهوة الزجاجي، فسمعت فوميكو صوت خطواتها وهي تقترب منها، لكنها لم تملك أدنى فكرة عما كان يجري. أولاً القواعد، ثم الشبح، والآن اللعنة. بدا الأمر برمّته مربكاً.

لم تُظهر كازو أي رغبة في مساعدتها. على الرغم من استمرار فوميكو بالصراخ طلباً للنجدة بأعلى صوتها!

ولكن في تلك اللحظة...

سـمعت فوميكو كازو تسـأل المرأة بلا مبالاة: «هل ترغبين في مزيد من القهوة؟».

فازداد غضب فوميكو، لامتناع كازو عن مدّ يد العون لها عندما احتاجت إليها. فلم تتجنبها كازو فقط، بل قدّمت للمرأة التي ترتدي الفسـتان الأبيـض مزيـداً مـن القهوة. أصيبت فوميكـو بالذهول. قيل لي بوضوح إنها شبح، أخطأت عندما لم أصدق ذاك. أخطأت أيضاً

حين أمسكت بذراعها وحاولت سحبها بقوة عن الكرسي، ولكن على الرغم من أنني كنت أصرخ «ساعديني!». تجاهلتني الفتاة وهي الآن تسأل المرأة بشكل غريب إن كانت تريد مزيداً من القهوة! لماذا سيرغب شبح في المزيد من القهوة!

كان كل ما استطاعت فوميكو النطق به هو عبارة: «لا بد أنك تمزحين!».

لكن من دون تردد ردّ صوت أثيري غريب: «نعم من فضلك».

كانت تلك هي المرأة التي ترتدي الفستان. فجأة، شعرت فوميكو أن جسدها قد أصبح أخف.

«آآه...».

لقد ازيلت اللعنة. فوقفت فوميكو التي استعادت توازنها منتصبة على رجليها، وهي تحدّق إلى كازو لاهثة.

تلاقت نظرتها ونظرات كازو، فبدا وكأنّها كانت تسألها، هل لديك ما تقولينه؟ فتجاهلتها ولم تبالِ بها. احتست المرأة التي ترتدي الفستان الأبيض رشفة من القهوة المصبوبة حديثاً، وعادت بهدوء إلى قراءة كتابها.

لقد تصرفت وكأن شيئاً لم يحصل، اختفت كازو مرة أخرى داخل المطبخ لإعادة الإبريق. ثم مدّت فوميكو مرة أخرى يدها لتلمس كتف تلك المرأة المرعبة التي ترتدي الفستان الأبيض، فشعرت بوجودها بأطراف أصابعها. وقالت لنفسها، إنها حقيقية.

ارتبكت فوميكو تماماً، فهي غير قادرة على فهم هذه الأحداث الغريبة. لقد اختبرت الأمر بنفسها، ولم يكن هناك من جدال في

ذلـك. لقـد فقـدت السـيطرة علـى جسـدها الـذي دفعته بقـوة نحو الأسـفل قوى غير مرئية. وعلى الرغم من أن عقلها لم يسـتطع أن يسـتوعب مـا حـدث معهـا، إلا أن قلبها اسـتمر يضخ بما يكفي من الدم في جسدها.

نهضـت، وتوجّهـت إلـى المنضدة وهي تشـعر بالدوار. وعندما وصلت، كانت كازو قد عادت من المطبخ.

سألتها فوميكو: «أهي حقاً شبح؟».

أجابتها باقتضاب: «نعم». وبدأت تملأ وعاء السكر.

إذاً لقـد حـدث هذا الشـيء المسـتحيل حدوثه... فاسـتعرضت فوميكو مرة أخرى تخميناتها. إذا كان الشـبح... واللعنة... حقيقيين بالفعل، فإن ما يقولونه عن العودة بالزمن قد يكون أيضاً حقيقياً!

تجربة فوميكو للعنة أقنعتها أن العودة عبر الزمن ممكنة، ولكن لا يزال هناك مشكلة تعيق وصولها إلى هدفها.

إنهـا تلـك القاعـدة. فـي سـبيل العـودة إلى الماضـي، لا بدّ من الجلوس على كرسي معين. لكن يشغل هذا الكرسي شبح لا يمكنني التواصل معها بتاتاً. وعندما حاولتُ الجلوس مكانه بقوة لعنني. فماذا عليّ أن أفعل؟

ردّت كازو كما لو أنها تمكّنت من سماع أفكار فوميكو: «عليك بالانتظار فقط».

«ماذا تعنين؟».

«في كل يوم، تنهض خلال لحظات للدّخول إلى المرحاض».

«هل تحتاج الأشباح إلى دخول المرحاض؟».

«أجل، وعندما تدخل إلى المرحاض يمكنك الجلوس مكانها».

حدّقت فوميكو إلى عيني كازو التي أومأت إليها بخفّة. بدا أن ذلك هو الحل الوحيد. أما بالنسبة إلى سؤال فوميكو، إن كانت الأشباح تحتاج إلى دخول المرحاض، فلم تكن كازو متأكدة إن كان السؤال بدافع الفضول أو أنه بدافع السخرية وحسب. لذا قررت تجاهله ورسم ملامح البرود على وجهها.

أخذت فوميكو نفساً عميقاً، بعد أن تمكّنت من أن تمسك بقشة، ولن تسمح لها بالإفلات منها. لقد قرأت ذات مرة قصة رجل بدأ طريقه الحافل بالمصاعب وهو لا يملك سوى قشّة، قبل أن يصبح مليونيراً. وإذا كانت ستحقّق مثله هدفها بواسطة هذه القشة، فلا يجب أن تضيعها أبداً.

«حسناً، سأنتظر. سأنتظر!».

«حسناً، لكن عليك معرفة أنها لا تفرّق بين النهار والليل».

فقالت فوميكو، المتمسّكة بقشتها بيأس: «حسناً. سأنتظر، حتى يحين موعد الإغلاق؟».

«ساعات العمل العادية تستمرّ حتى الساعة الثامنة مساءً، ولكن إذا قررت الانتظار، يمكنك البقاء قدر ما تشائين»

«شكراً جزيلاً!».

جلست فوميكو وسط الطاولات الثلاث، مقابل كرسي المرأة التي ترتدي الفستان الأبيض، ولفّت ذراعيها على بعضهما، وتنفّست بعمق.

أعلنت وهي تصيح أمام المرأة التي ترتدي الفستان: «سأحصل

على ذلك الكرسي».

لكن المرأة تجاهلت كلامها وتابعت قراءة كتابها، كالعادة.

أطلقت كازو تنهيدة صغيرة.

صوت ضجيج

ألقت كازو سلامها المعتاد: «مرحباً. مساء الخير! كوتاكي!».

وقفت أمام المدخل امرأة، بدت وكأنها تبلغ أربعين عاماً ونيفاً.

ارتدت كوتاكي سترةً زرقاء داكنة فوق زي الممرضة الرسمي وحملت حقيبة على كتفها. كانت تلهث كما لو أنها ركضت مسافة طويلة، فوضعت يدها على صدرها، وكأنها تحاول التقاط أنفاسها.

قالت متحدثةً بسرعة: «شكرا لاتصالك».

أومأت لها كازو والابتسامة مرتسمة على وجهها، ثم ذهبت إلى المطبخ. اقتربت كوتاكي خطوتين أو أكثر من الطاولة القريبة من المدخل، ووقفت بجانب الرجل الذي يُدعى فوساغي. ولكنه لم ينتبه إلى وجودها على الإطلاق.

قالت كوتاكي بنبرة لطيفة كما لو أنها تتحدث إلى طفل: «فوساغي».

في البداية، لم يبدِ فوساغي أي ردّة فعل، كما لو أنه لم ينتبه إلى أنها نادته، وحين لاحظ وجودها التفت إليها وهو ينظر إليها بطرف عينيه نظرة بدت جافّة.

تمتم: «كوتاكي».

أجابت كوتاكي بصوت واضح: «نعم، هذه أنا».

«ما الذي تفعلينه هنا؟».

«لديّ بعض الوقت، وفكرت في أن آتي لأشرب معك فنجان قهوة».

أجابها فوساغي: «حسناً... حسناً».

ثم تابع قراءة مجلته مرة أخرى، فجلست كوتاكي بعفوية على المقعد المقابل له من دون أن تكف عن النظر إليه. لكنّه لم يبدِ أي ردة فعل حيال ذلك، بل قلب صفحة مجلته.

قالت كوتاكي وهي تتفرّس في أرجاء المقهى، وكأنها زبونة جديدة: «سمعت أنك تتردّد كثيراً إلى هنا في الآونة الأخيرة».

أجابها ببساطة: «نعم».

«إذاً لقد أحببت المكان؟».

أجابها بلهجة أظهرت بوضوح أنه معجب بالمكان بالفعل: «ليس على التحديد». وقد ارتسمت ابتسامة خفيفة على شفتيه.

همس: «أنا أنتظر».

«ما الذي تنتظره؟».

استدار ونظر إلى الكرسي الذي تجلس عليه المرأة التي ترتدي الفستان الأبيض. «أنتظر أن تغادر ذلك الكرسي». خانته تعابير وجهه الجادة لترتسم مكانها ملامح صبيانية.

لم تكن فوميكو تسترق السمع، ولكن صغر المقهى مكّنها من سماع كلامه، فصاحت مندهشة: «ماذا؟». عندما علمت أن فوساغي كان ينتظر مثلها أن تدخل المرأة التي ترتدي الفستان الأبيض إلى المرحاض كي يتمكن من العودة إلى الماضي.

التفتت كوتاكي نحو فوميكو بعد سماع صراخها. لكن فوساغي لم يعرها أي اهتمام.

سألته: «هل هذا صحيح؟».

اكتفى فوساغي بالقول: «نعم». وهي ترتشف القهوة من فنجان.

صُعقت فوميكو، أرجوكِ لا تدعيني أتنافس معه.

بعد كل هذا... أدركت على الفور أنها تواجه وضعاً صعباً، إذ إن لكل منهما الهدف نفسه، إلا أنه قد وصل قبلها إلى المقهى، وبالتالي سيكون له الأولوية في ذلك من باب اللياقة، ولن تتمكّن من أن تتخطى دوره. إن المرأة التي ترتدي الفستان الأبيض تدخل إلى المرحاض مرة واحدة خلال اليوم. يعني أن هناك فرصة واحدة فقط للجلوس على ذلك الكرسي يومياً.

أرادت فوميكو العودة عبر الزمن بشدة. ولم تعد تتحمّل فكرة أنها قد تضطر لانتظار يوم آخر، فعجزت عن إخفاء انفعالها بسبب هذا التطور غير المتوقع. ومالت قليلاً نحو طاولة فوساغي، لتتمكن من سماع حديثه والتأكد من رغبته في العودة إلى الزمن الماضي.

سألته كوتاكي: «هل جلست هناك اليوم؟».

«ليس اليوم».

«ألم تتمكن من الجلوس هناك؟».

«لا...».

لم يهدّئ حديثهما من مخاوف فوميكو، التي ارتسمت على وجهها ملامح الرعب والهلع.

«فوساغي، ما الذي تريد فعله عندما تعود بالزمن؟».

لم تكن مخطئة. إنه ينتظر المرأة التي ترتدي الفستان الأبيض كي تذهب إلى المرحاض. لقد وقع ذلك الخبر كالصاعقة على فوميكو، التي علت وجهها ملامح الحسرة والخيبة، وانهارت على الطاولة مرة أخرى، وهي لا تزال تصغي إلى المحادثة المروّعة.

«هل هناك شيء ترغب في إصلاحه؟».

فكّر للحظات قبل أن يجيبها: «حسناً، هذا سرّي الخاص». وارتسمت على وجهه ابتسامة طفولية.

«سرّك الخاص؟».

«نعم».

وعلى الرغم من قوله إن الأمر سرّ، ابتسمتْ كما لو أنها شعرت بالرضا. ثم نظرت إلى المرأة التي ترتدي الفستان الأبيض.

«لكن يبدو أنها لن تذهب إلى المرحاض اليوم، أليس كذلك؟».

لم تتوقع فوميكو سماع ذلك. ما دفعها إلى القيام بردة فعل تلقائية، إذ رفعت رأسها عن الطاولة بسرعة. فكانت حركتها سريعة للغاية لدرجة إصدار صوت لفت انتباهما. أيمكن ألا تذهب إلى المرحاض؟ قالت كازو إنها تذهب مرة واحدة خلال اليوم. ولكن كما ذكرت تلك الفتاة، لعل المرأة التي ترتدي الفستان الأبيض سبق لها ودخلت إلى المرحاض اليوم... لا، لا يمكن أن يكون هذا ما حصل.

أملت حقاً في أن لا يكون هذا ما جرى، صلّت كي لا يكون ذلك صحيحاً، وانتظرت فوميكو في خوف سماع جواب

فوساغي.

رد بسرعة من دون اكتراث: «ربما هذا صحيح». ففتحت فوميكو فمها وكادت تصرخ لشدّة ذهولها من الصدمة. لماذا قد لا تذهب المرأة التي ترتدي الفستان الأبيض إلى المرحاض؟ ماذا تعرف كوتاكي عن الأمر؟ أرادت الحصول على إجابة.

مع ذلك شعرت أنه لا يجدر بها مقاطعة حديثهما، إذ لطالما أدركت أن قراءة المواقف أمر مهم. والآن، قد عكست لغة جسد كوتاكي تحذيراً صارخاً لها، «ابقي خارج الموضوع!». لكن لم يكن واضحاً ما هو الأمر الذي يجب عليها أن تبقى بعيدة عنه. ولكن الأكيد أنّه لم يكن الغرباء موضع ترحيب في هذا المكان.

قالت كوتاكي بلهجة لطيفة ومقنعة: «إذاً... ما رأيك في أن نغادر؟».

لقد استعادت فرصتها الكبيرة. هذا إن تجاهلنا حقيقة أن المرأة قد تكون ذهبت إلى المرحاض بالفعل. ولكن إذا غادر فوساغي، يمكنها على الأقل التخلص من منافسها.

عندما توقّعت كوتاكي أن المرأة التي ترتدي الفستان الأبيض قد لا تغادر كرسيها اليوم. وافقها فوساغي الرأي ببساطة وقال، ربما هذا صحيح. مع التشديد على كلمة ربما. ومن الممكن أنه قصد قول: «على أي حال، أنا في انتظار رؤية ما سيحصل». لو كانت فوميكو مكانه، لانتظرت، ركّزت أفكارها كلها وهي تنتظر ردّه، محاولة ألا تظهر اهتمامها أمام الآخرين، بعد أن سمعت الحديث كله الذي أصبح يتحكم بردّات فعل جسدها.

نظر إلى المرأة التي ترتدي الفستان الأبيض، ثم صمت قليلاً، وبدا أنه يفكر بعمق. ثم أجابها: «بالتأكيد».

بما أن جوابه كان واضحاً، شعرت بالحماسة وصار قلبها ينبض بسرعة.

قالت كوتاكي وهي تنظر إلى فنجان القهوة نصف الفارغ: «حسناً إذاً، سنغادر عندما تنهي فنجانك».

بدا أن فوساغي لم يعد يفكر سوى بالمغادرة، أجابها وهو يبعد مجلته، ودفتره، وقلمه وينهض عن كرسيه: «لا بأس، لقد بردت الآن». ارتدى سترته الصوفية، وهي نوع السترات التي غالباً ما يرتديها عمال البناء. ومشى باتجاه صندوق المحاسبة، في اللحظة نفسها التي خرجت فيها كازو من المطبخ، ليدفع ثمن القهوة.

سألها: «بكم أدين لك؟».

أدخلت كازو المبلغ عبر استخدام مفاتيح الصندوق البالية. في تلك الأثناء، كان فوساغي يبحث عن محفظته في حقيبته، وجيب قميصه، وجيب سرواله الخلفي وكل مكان آخر يمكنه أن يخطر على باله...

تمتم: «هذا غريب، محفظتي...».

يبدو أنه جاء إلى المقهى من دون أن يجلبها معه. وبعد البحث الدقيق مرة تلو الأخرى، لم يتمكن من العثور عليها. بدا مستاء بشكل واضح، بل كاد أن يبكي من شدة الإحراج.

وبشكل غير متوقع، أخرجت كوتاكي المحفظة، ووضعتها أمامه.

«هاك».

كانت محفظة جلدية رجالية مهترئة، مطوية في الوسط. بدت منتفخة لأنها احتوت على العديد من الإيصالات. تسمّر مكانه للحظة، وهو يحدّق إلى المحفظة التي ظهرت أمامه مذهولاً. أخيراً، أخذ المحفظة التي عُرضت عليه من دون أن ينبس ببنت شفة.

سأل وهو يبحث داخل محفظة النقود كما لو أنها ملكه: «كم المبلغ؟».

ولم تقل كوتاكي شيئاً، بل اكتفت بالوقوف خلف فوساغي، تراقبه وهو يدفع: «ثلاثمئة وثمانين يناً».

أخرج ورقة نقدية واحدة وأعطاها إلى كازو: «حسناً. هذه خمسمئة...».

تناولت كازو المال، ووضعته داخل الصندوق.

ثم أخرجت فكة نقود من الدرج.

وضعت الوصل وفكة النقود في يد فوساغي: «إليك مئة وعشرين يناً».

قال وهو يضع الفكّة بعناية داخل المحفظة: «شكراً على القهوة». وضع المحفظة داخل حقيبته، وتوجه إلى الباب بسرعة، متجاهلاً وجود كوتاكيً.

صوت ضجيج

لم يبدُ أن أسلوبه أزعج كوتاكي التي قالت ببساطة: «شكراً لك». ثم لحقت به.

صوت ضجيج

تمتمت فوميكو: «لقد تصرفا بغرابة».

نظفت كازو الطاولة حيث كان يجلس فوساغي، وعادت مجدداً إلى المطبخ.

انزعجت فوميكو من الظهور المفاجئ لمنافسها، ولكنها شعرت أن النصر سيكون حليفها، بعد أن بقيت وحيدةً مع المرأة التي ترتدي الفستان الأبيض.

فكّرت في سرّها، صحيح، أن منافسي ذهب وصار كل ما عليّ فعله الآن هو انتظار نهوض هذه المرأة عن الكرسي. لكن لم يكن للمقهى نوافذ، وقد أظهرت ساعات الحائط الثلاث أوقاتاً مختلفة. كما لم يدخل أحد إلى المقهى أو يخرج منه، ما جعل إحساسها بالزمن يتوقّف.

وحين شعرت بالنعاس، شرعت في تعداد قواعد العودة إلى الماضي.

القاعدة الأولى: - الأشخاص الوحيدون الذين يمكن للمرء مقابلتهم عندما يعود المرء بالزمن هم أولئك الذين زاروا المقهى. الصدفة المحضة هي التي جعلت لقائها الأخير مع غورو يحصل في هذا المقهى.

القاعدة الثانية: - لا يمكن للمرء مهما حاول جاهداً تغيير الحاضر أثناء عودته بالزمن. وبعبارة أخرى، حتى لو عادت فوميكو إلى الأسبوع الماضي، وطلبت من غورو عدم الذهاب، فلن تتغير حقيقة ذهابه إلى أميركا. لم تفهم لمَ يجب أن تسير الأمور على هذا

النحو. عندما فكرت بالأمر، شعرت بالضيق مجدداً. لكنها استسلمت للواقع واعتبرت أن عليها تقبّل تلك الحقيقة.

القاعدة الثالثة: – من أجل العودة إلى الماضي، عليك أن تجلس على ذلك الكرسي وحده. كان ذلك هو الكرسي الذي شغلته المرأة التي ترتدي الفستان الأبيض. وإذا حاولت الجلوس عليه بالقوة، فستلعنك.

القاعدة الرابعة: – في أثناء سفرك إلى الماضي، يجب عليك البقاء على الكرسي وعدم القيام عنه. وبعبارة أخرى، لا يمكنك الذهاب حتى إلى المرحاض أثناء العودة بالزمن.

القاعدة الخامسة: – هناك حدّ زمني. الآن بعد أن فكرت في الأمر، لم يخبرها أحد بتفاصيل هذه القاعدة. لم يكن لديها أي فكرة عن طول المدة المتاحة لها. فكّرت في هذه القواعد مراراً وتكراراً. ظلّت تتأرجح بين أفكارها المضطربة. فانتقلت من التفكير في أن العودة في الزمن ستكون عديمة الجدوى، إلى التفكير بأنها ستتمكّن من تولّي زمام الأمور خلال محادثتهما، كما ستتمكن من قول كل ما رغبت في قوله. – في نهاية الأمر، ما الضرر من المحاولة، ما دام الحاضر لن يتغير؟ كررت كل قاعدة مراراً وتكراراً حتى انهارت فوق الطاولة مجدداً، واستسلمت للنوم.

* * *

المرة الأولى التي علمت بها فوميكو بحلم غورو المستقبلي كانت عندما التقت به في موعدهما الثالث. كان غورو مهووساً بالألعاب الإلكترونية. لقد أحب ألعاب MMORG (وهي لعبة

تقمّص الأدوار التي يجتمع فيها عدد هائل من اللاعبين عبر شبكة الإنترنت) وقد لعبها مستخدماً الكمبيوتر. وكان عمه أحد مطوري لعبة MMORG التي تسمى زرع السحر. وهي لعبة لاقت رواجاً كبيرة في شتى أنحاء المعمورة. منذ نعومة أظفاره اتخّذ غورو عمه مثالاً يحتذى، وقد حلِمَ بالانضمام إلى شركة الألعاب التي يديرها عمه: تيب –ج. وليتأهل لهذا المنصب في شركة تيب –ج. كان عليه تحقيق شرطان إلزاميان: (1) خبرة لا تقل عن خمس سنوات في العمل في هندسة النُظم الصناعية والطبية. (2) تطوير برنامج ألعاب جديد لم يسبق أن طُرِح سابقاً. تعتمد حياة البشر على مدى واقعية الأنظمة في الصناعة الطبية ولا يمكن السماح بالأخطاء. من ناحية أخرى، يستطيع الأشخاص معالجة الأخطاء في برمجية صناعة الألعاب المنتشرة عبر الإنترنت، كما يمكنهم إجراء تحديثات حتى بعد الإصدار.

كانت شركة تيب– ج فريدة من نوعها، فهي لم تقبل سوى المرشحين ذوي الخبرة في مجال الصناعة الطبية للتأكد من أنها توظف أكفأ المبرمجين. وعندما أخبر غورو فوميكو عن حلمه، اعتقدت أنه حلم رائع. ولكن ما لم تكن تعرفه هو أن مقر تيب–ج الرئيسي في أميركا.

وفي موعدهما السابع، وبينما كانت تنتظر وصوله إلى مكان اللقاء اقترب منها رجلان حسنا المظهر وبدآ يتودّدان إليها، لكنها لم تعرهما اهتماماً. فلطالما انجذب إليها الرجال ساعين للخروج معها، لذا تطور أسلوبها مع الوقت في التعامل مع هذه المواقف. وقبل أن تتمكّن من أن تستخدمه، وصل غورو ووقف أمامها، وقد

بدا غير مرتاح، فهرعت إليه، لكن الرجلين سخرا من غورو، وسألاها عن سبب خروجها مع هذا المغفل. فلم يكن أمامها من خيار سوى البدء بمدح صفاته.

خفض غورو رأسه، ولم يقل أي كلمة. لكنها واجهت الرجلين قائلة (باللغة الإنجليزية): «يا صديقيّ أنتما تجهلان مدى جاذبيته»، (بالروسية): «إنه شجاع بما يكفي لإنجاز المهام الصعبة بإتقان»، (بالفرنسية): «إنه يمتلك قدرات كبيرة لا تسمح له أن يستسلم»، (باليونانية): «لديه المهارة اللازمة لجعل المستحيل ممكناً»، (بالإيطالية): «وأنا أعلم أنه بذل جهوداً استثنائية ليكتسب هذه القدرة»، (بالإسبانية): «ولم يسبق لي أن عرفت رجلاً بجاذبيته» ثم قالت (باليابانية): «إذا فهمتما ما قلته للتو، فلن أمانع التسكع معكما».

تفاجأ الرجلان في البداية، وبقيا ساكنين بلا حراك. ثم نظرا إلى بعضهما، وانسحبا محرجين.

ابتسمت فوميكو ابتسامة عريضة في وجه غورو، وقالت هذه المرة بالبرتغالية: «بالطبع، أعتقد أنك فهمت كل ما قلته».

فأومأ لها خجلاً إيماءة خفيفة.

في الموعد العاشر، اعترف غورو لها أنه لم يسبق له أن أقام علاقة مع أي امرأة.

فقالت بسعادة: «إذاً، أنا المرأة الأولى التي تواعدها». كانت تلك هي المرة الأولى التي أكدت له فيها أنهما يتواعدان، فاتسعت عيناه ولمعتا فرحاً عند سماعه هذه الكلمات.

يمكننا القول إن تلك الليلة كانت بداية علاقتهما الجدية.

استسلمت فوميكو للنوم لبرهة. في أثناء ذلك، أغلقت المرأة التي ترتدي الفستان الأبيض الكتاب الذي كانت تقرأه متنهدة، ثم وقفت ببطء بعد أن سحبت منديلاً أبيض من حقيبة يدها، وبدأت تسير باتجاه المرحاض.

لم تلحظ فوميكو مغادرتها لأنها كانت مستغرقة في النوم. خرجت كازو من الغرفة الخلفية، مرتدية زيها الرسمي: قميصاً أبيض، ربطة عنق سوداء، صدرية، بنطالاً أسود، ومئزراً. نادت فوميكو بينما كانت تنظف الطاولة.

«سيدتي. سيدتي».

رفعت فوميكو رأسها بسرعة والاستغراب يعلو وجهها: «ماذا؟». رمشت عيناها، وجالت بنظرها في أرجاء المقهى، حتى لاحظت ما حدث.

لقد اختفت المرأة التي ترتدي الفستان الأبيض: «يا إلهي!».

«الكرسي شاغر الآن. هل تودين الجلوس هناك؟».

أجابتها: «بالطبع أريد!».

نهضت على عجل، وتوجهت إلى الكرسي الذي سيعيدها إلى الماضي، بدا كرسياً عادياً، ما من شيء استثنائي بشأنه، تسارعت دقات قلبها وهي تنظر إليه بلهفة كبيرة. أخيراً، وبعد تحقق كل القواعد وتجاوزها اللعنة، حصلت على تذكرة عودتها إلى الماضي. وسارت باتجاه الكرسي الذي سيعيدها إلى الماضي كما قيل لها. ولكنه بدا وكأنه كرسي عادي، لا أكثر.

«حسناً، أعدني الآن إلى الأسبوع الماضي».

تنفست فوميكو بعمق، هدّأت نبضات قلبها المتسارعة، وتموضعت بدقة في الفراغ الواقع بين الكرسي والطاولة، وكل ما كان يشغل ذهنها هو أنها ستسافر عبر الزمن إلى الأسبوع الماضي قبل حتّى أن يلامس قفاها الكرسي. اشتد توترها وحماستها إلى أن وصلا إلى الذروة. وأخيراً جلست بقوة، فكادت أن تقع عن الكرسي.

صرخت: «حسناً، أعدني عبر الزمن أسبوعاً إلى الماضي!».

تسارعت دقات قلبها ترقباً. نظرت حولها في أرجاء المقهى حيث لا نوافذ، ولا وسيلة تمكنّها من تمييز الليل من النهار. لذا، لم تتمكن من معرفة الوقت بدقة، لأن ساعات الحائط الثلاث القديمة أشارت إلى أوقات مختلفة. ولكن لابد أن شيئاً قد تغير، نظرت حولها بيأس، بحثاً عن علامة تثبت لها أنها عادت إلى الماضي. لكنها لم تستطع إيجاد دليل واحد. لو عادت في الزمن إلى الأسبوع الماضي، أما كان من المفروض أن يكون غورو موجوداً. -لكنه لم يكن في أي مكان...

تمتمت: «أنا لم أسافر عبر الزّمن، أليس كذلك؟». لا تقولي لي إنني كنت حمقاء لدرجة أن أصدق هذا الهراء حول العودة إلى الماضي.

بينما كانت علامات الانهيار تظهر على ملامحها، وقفت كازو بجانبها وهي تحمل صينية فضية، عليها إبريق فضيّ وفنجان قهوة أبيض.

صاحت فوميكو: «لم أعد في الزمن بعد».

كانت تعابير كازو باردة كما هو الحال دائماً. قالت كازو: «هناك

قاعدة أخرى».

اللعنة! هناك واحدة أخرى. سيتطلب الأمر أكثر من مجرد الجلوس على الكرسي.

بدأ اليأس يتسلل إلى روح فوميكو التي سألت: «أهناك المزيد من القواعد؟». لكنها شعرت بالارتياح في الوقت نفسه، لأن هذا يعنى أن العودة إلى الماضي لا تزال متاحة.

واصلت كازو شرحها من دون إظهار أدنى اهتمام بمشاعر فوميكو. وقالت لها وهي تضع فنجان القهوة أمام، «خلال لحظة، سأسكب لك كوباً من القهوة».

«قهوة؟ لماذا القهوة؟».

قالت كازو متجاهلة سؤال فوميكو التي شعرت بالطمأنينة لأنها ستعود إلى الماضي قريباً: «ستبدأ رحلتك إلى الماضي في اللحظة التي أسكب فيها فنجان القهوة... وعليك أن تعودي إلى الحاضر قبل أن تبرد القهوة».

تلاشت ثقة فوميكو تماماً: «ماذا؟ أبهذه السرعة؟».

«القاعدة الأخيرة والأهم...».

كانت فوميكو متلهفة للرحيل، فأحسّت بأن كازو لن تتوقف عن الكلام أبداً. تمتمت وهي تمسك بفنجان القهوة أمامها، «هناك الكثير من القواعد...».

لم يكن الفنجان مميزاً تماماً؛ مجرد فنجان فارغ لم تصب فيه القهوة بعد. لكنه بدا بنظرها أكثر برودة من الخزف على نحو ملحوظ.

تابعت كازو: «هل تستمعين إليّ؟ عندما تعودين إلى الماضي،

عليك أن تشربي الفنجان بالكامل قبل أن تبرد القهوة».

«أنا لا أحب القهوة كثيراً».

اتسعت عينا كازو، وقرّبت وجهها من طرف أنف فوميكو، وقالت بصوت منخفض: «هذه هي القاعدة الأساسية التي يجب أن تلتزمي بها تماماً».

«حقاً؟».

«إذا لم تفعلي ذلك فسيصيبك أمر مريع...».

«ماذا؟».

شعرت فوميكو بعدم الراحة، ليس لأنها لم تتوقع شيئاً من هذا القبيل، بل لأن السفر عبر الزمن يعني انتهاك قوانين الطبيعة، وينطوي على مخاطر جلية. لكنها لم تقتنع بضرورة التزامها بالتوقيت الذي فرضته عليها كازو. وشعرت وكأنها قد وقعت في حفرة عميقة قبل التمكّن من الوصول إلى خط النهاية. لن تتردد الآن، ليس بعد أن وصلت إلى هذه المرحلة. نظرت إلى عيني كازو وسألتها:

«ماذا؟ ماذا سيحدث؟».

«إذا لم تشربي فنجان القهوة كاملاً قبل أن يبرد...».

«... إذا لم أشرب القهوة؟».

«سيأتي دورك لتصبحي الشبح الجالس على هذا الكرسي».

شعرت فوميكو بصاعقة تخترق رأسها: «هل أنت جادة في ما تقولينه؟».

«المرأة التي كانت تجلس هنا للتو...».

«خرقت هذه القاعدة؟».

«نعم، لقد ذهبت لمقابلة زوجها الميت، فلم تشعر بمرور الوقت، وعندما أدركت ذلك أخيراً، كانت القهوة قد بردت».

«...وتحولت إلى شبح؟».

«نعم».

فكرت فوميكو، هذا أكثر خطورة مما تصورته. كثيرة هي القواعد الخطيرة. أن تقابل شبحاً وأن تصبح ملعونة من قبل هذا الشبح هو أمر خارق للطبيعة. ولكن المخاطر ازدادت الآن.

حسناً، لا يزال بإمكاني العودة إلى الماضي، عليّ فقط العودة قبل أن تبرد قهوتي. ليس لديّ أي فكرة عن الوقت الذي تستغرقه القهوة الساخنة لتبرد. ولكن هلى الرغم من أن المدة لن تكون طويلة، إلا أنها ستكون كافية لإنهاء فنجان القهوة، حتى ولو كان طعمها سيئاً. لذلك، لا داعي للقلق بشأن هذا الأمر. لكن لنفترض إنني لم أشربها، وتحولت إلى شبح، هذا يعدّ مقلقاً للغاية، ولنفترض أنني لن أتمكّن من أن أغير الحاضر بالعودة إلى الماضي مهما حاولت، فلا خطر في ذلك. ربما لا توجد إيجابيات، ولكن لا توجد سلبيات أيضاً.

ولكن من ناحية أخرى، التحول إلى شبح يعدّ سلبياً حتماً.

ترددت فوميكو قليلاً وهي تفكر في سرها. اجتاحت عقلها مخاوف لا حصر لها. كان أكثرها نفوراً اضطرارها إلى شرب القهوة المقزّزة التي سكبتها لها اكازو. شعرت أنها ستتمكن من تحمل طعم القهوة. ولكن ماذا لو كانت بنكهة الفلفل؟ ماذا لو كانت بنكهة الوسابي؟ كيف ستشرب فنجاناً كاملاً منها؟

اجتاحتها موجة من الهلع، فهزّت رأسها محاولةً تبديد موجة القلق التي أصابتها.

«حسناً، عليّ فقط شرب القهوة قبل أن تصبح باردة، أليس كذلك؟».

«أجل».

لقد حسمت أمرها. أو بشكل أكثر دقة، اكتسحها العزم والإصرار.

وقفت كازو هناك بلا مبالاة، متوقّعة أنها لو أخبرت فوميكو بذلك قبلاً لكانت لتقول آسفة، لا يمكنني المضي قدماً. ولكن ما كانت لتتغير ردة فعلها. أغمضت عينيها لفترة وجيزة، ووضعت قبضتيها المشدودتين على حضنها، وأخذت نفساً عميقاً من خلال أنفها كما لو أنها تحاول الشعور بالارتياح.

حدقت إلى عيني كازو وقالت: «أنا مستعدة. صبّي القهوة من فضلك».

التقطت كازو الإبريق الفضي من الصينية بيدها اليمنى، وأومأت لها برأسها. ثم نظرت إلى فوميكو بجدية ثم همست في أذنها: «تذكري، عليك بشرب القهوة كلّها قبل أن تبرد».

بدأت كازو تسكب القهوة في الفنجان، موحيةً باللامبالاة، لكن حركاتها المرنة والأنيقة جعلت فوميكو تشعر أنها كانت تشاهد إنساناً بارعاً في أداء طقوس عريقة.

عندما رأت فوميكو البخار المتلألئ المتصاعد من القهوة التي ملأت الفنجان، بدأ كل شيء حول الطاولة يدور، ولم يعد ممكناً التّركيز على دوامة البخار. فخافت وأغمضت عينيها، فازداد إحساسها

بالخوف نتيجة اشتداد سرعة الدوران، مثل البخار المتصاعد في الجو. أغلقت قبضتها بمزيد من الإحكام. واشتدّت مخاوفها، إذا استمر هذا الدّوران، لن أجد نفسي في الحاضر أو الماضي، بل سأختفي ببساطة كالدخان. وبينما كان القلق يسيطر عليها القلق، تبادر إلى ذهنها المرة الأولى التي قابلت فيها غورو.

قابلت فوميكو غورو للمرة الأولى في فصل الربيع منذ عامين. كانت في السادسة والعشرين من عمرها، وكانت تكبره بثلاث سنوات، وكانت تعمل لصالح إحدى الشركات، وقد أُرسل غورو للعمل في المشروع نفسه، لكن لصالح شركة أخرى. وكانت فوميكو مديرة المشروع والمسؤولة عن جميع الموظفين العاملين في هذا المشروع.

لم تتراجع فوميكو أبداً عن قول الحقيقة مهما كانت، حتى ولو كانت موجّهة إلى رئيسها، كما كانت تواجه بشجاعة الزملاء الأعلى مرتبة منها بهدف تصويب أخطائهم. ومع ذلك لم يسبق لأحد أن انتقدها. لأنها كانت دائماً صادقة وشفافة، كما حظي اجتهادها وإخلاصها لعملها على إعجاب الجميع.

على الرغم من أن غورو كان يصغرها بثلاث سنوات، لكنه كان يعطى انطباعاً بأنه في الثلاثينيات من عمره. بصراحة، بدا أكبر بكثير من عمره. في البداية، اعتقدت أنها تصغره سناً، ما جعلها تتواصل معه بأسلوب حذر. ولكن على الرغم من أنه كان الأصغر سناً بين أعضاء في الفريق، إلا أنه كان الأكثر كفاءة.

كان مهندساً ماهراً للغاية يعمل بصمت، ورأت فوميكو أنه

يمكنها الاعتماد عليه. وحين أوشك المشروع الذي تديره فوميكو على الانتهاء، وقبل موعد التسليم تماماً، ظهر فيه عيب خطير. كان عيباً ما في البرنامج، فمن خلال برمجة الأنظمة الطبية، الأخطاء التي قد تبدو تافهة قد تكون وخيمة النتائج. فاستحال تسليم المشروع بهذه الحالة، لكن العثور على سبب الخلل هو أشبه باستخراج قطرة حبر سقطت في حوض سباحة يبلغ عمقه 25 متراً. لم يقتصر الأمر على اتّفاق الجميع على أن ذلك يعدّ مهمة شاقة فحسب، بل لم يكن لديهم الوقت الكافي لإصلاح العيب.

بما أن فوميكو كانت مديرة المشروع، وقعت على عاتقها مسؤولية الوفاء بشروط التسليم المحدّد بعد أسبوع واحد، وعندما حصل إجماع على أن إصلاح الخلل يحتاج إلى شهر على الأقل، استقال الجميع قبل حلول الموعد النهائي. وتأكّدت فوميكو أنها ستضطر هي الأخرى إلى تقديم استقالتها. ووسط هذا الاضطراب، اختفى غورو من موقع المشروع، ولم يتمكن أحد من العثور عليه. فانتشرت التعليقات الساخرة منه، واعتبر الجميع أن الخطأ خطأه، وأنه خجل من نفسه وآثر الاختفاء.

بالطبع، لم يكن هناك دليل على أن الخطأ كان خطأه. ولكن، بما أن المشروع فشل فكان لا بد من إلقاء اللوم على أحدهم، وعندما اختفى غورو عن الأنظار، أصبح كبش الفداء، وبطبيعة الحال كانت فوميكو من بين أولئك الذين شكوا به. ولكن في اليوم الرابع لاختفائه، ظهر فجأة، وأعلن أنه اكتشف الخطأ.

لم يكن حليقاً، ولم تكن رائحته عطرة، ولكن لم يفكر أحد

بمضايقته بسبب ذلك. ومن نظر إلى وجهه لم يكن من الصعب أن يعرف أنه لم ينم طوال فترة غيابه. في حين أن كل عضو من أعضاء الفريق، بمن فيهم فوميكو، استسلم للأمر الواقع كون إصلاح العيب يعدّ صعباً للغاية. ولكن نجح غورو في حل المشكلة، ولم يكن ما فعلـه أقـل مـن معجـزة. وبما أنه أخذ إجـازة من دون إذن ولم يخبر أحداً بمكانه، فقد انتهك بذلك القاعدة الأساسـية التي تنطبق على أي عامـل فـي الشـركة. ومـع ذلك فقـد أظهر التزامـاً بعمله وبراعة فاقـت قـدرة أي شـخص آخـر، وقـد نجح في عمـل البرمجة حيث فشل الآخرون.

بعـد أن عبّـرت فوميكـو عن امتنانها الصادق، اعتذرت منه لأنها شكّت به للحظة، فاكتفى غورو بالابتسام عندما أحنت رأسها خجلاً أمامه.

قـال: «حسـناً إذاً، ربمـا يمكنـك أن تدعيني إلى احتسـاء فنجان قهوة؟».

فكانت تلك هي اللحظة التي أغرمت به.

وبعد تسليم النظام بنجاح، عملا في شركات مختلفة، ونادراً ما التقيا. لكن فوميكو كانت تؤمن بأن الأمور ستسـيرعلى أكمل وجه. فكانـت كلمـا حظيـت ببعض الوقت، اصطحبته إلـى أماكن مختلفة، بحجّة دعوته إلى فنجان قهوة.

كان غورو مهووساً بالعمل، لدرجة أنه عندما يبدأ به، لا يسمح لأي شيء أن يصرف انتباهه عنه حتى يفرغ منه. وقد علمت فوميكو عندما زارت منزله للمرة الأولى أن مقر شـركة تيبـ ج الرئيسـي في

أميـركا، وقـد تحدّث بحماسـة شـديدة عن رغبته فـي العمل في هذه الشركة. مما جعلها تشعر بقلق شديد، لأنه عندما يتحقق هذا الحلم، هل سيختار حلمه أم سيختارني؟ لا يجب عليّ التفكير بهذه الطريقة، إذ لا مجال للمقارنة. لكن يا إلهي...

ثـم شـيئاً فشـيئاً، توضّحـت لهـا الصـورة، وبانـت كم سـتكون خسـارتها له كبيرة، ولكنها لمَ تحاول دفعه لاكتشـاف حقيقة مشاعره تجاهها. مرّ الوقت، وفي ذلك الربيع، حصل أخيراً على عرض العمل في شركة تيبـج. وتحقّق حلمه.

لقد كان قلق فوميكو مبرّراً، إذ اختار غورو السـفر إلى أميركا، لتحقيق حلمه. وقد عرفت ذلك قبل أسـبوع، في هذا المقهى. فجأة فتحـت عينيهـا وهي تشـعر بالارتباك، وكأنها اسـتيقظت مذعورة من حلم مخيف.

فارقهـا الإحسـاس بأنهـا تحوّلـت روحـاً، تتصاعـد وتتناثر مثل البخار، وبدأت تستعيد إحساسها بأطرافها. وبينما كان الذّعر الشّديد يسيطر عليها، لمست جسدها ووجهها لتتأكد من أنها لا تزال موجودة. وعندما عادت إلى رشدها، لمحت رجلاً أمامها، كان يراقب سلوكها الغريب بحيرة.

إنه غورو، لا لم تكن مخطئة. إنه هو الرجل نفسه الذي يفترض بـه أن يكـون فـي أميـركا، ولكنه يقف أمامها، لقـد عادت بالفعل إلى الماضـي، ففهمـت حيرتـه، ولـم تعد تشـكّ في أن الزمـن قد عاد بها أسبوعاً إلى الوراء. كان المقهى كما تذكرته.

جلس الرجل الذي يدعى فوسـاغي يتصفّح مجلة على الطاولة

القريبة من مدخل الباب. وجلست هيراي خلف المنضدة، وكانت كازو هناك. وجلس غورو قبالتها، ولكن كان هناك اختلاف واحد، وهو الكرسي الذي جلست عليه فوميكو.

قبل أسبوع، كانت تجلس في مواجهة غورو. والآن، أصبحت تجلس مكان المرأة التي كانت ترتدي الفستان الأبيض. فهي لا تزال تواجه غورو، لكنها باتت الآن على بعد طاولة منه. إنه بعيد جداً عنها، والحيرة التي بدت في عينيه كانت مبررة تماماً.

لكن سواء أكان ذلك طبيعياً أم لا، لم تستطع النهوض عن كرسيها. لأن ذلك كان من شروط العودة إلى الماضي. ولكن ماذا لو سألني لماذا أجلس هنا؟ ماذا عليّ أن أقول؟ تنفّست فوميكو الصعداء وهي تفكّر.

«يا إلهي لقد حان الوقت، آسف، عليّ المغادرة».

ربما بدا غورو محتاراً فيما مضى، ولكن على الرغم من تغيير مكان جلوسها الذي أثار استغرابه، إلا أنه نطق بالكلمات التي سمعتها منه منذ أسبوع بحذافيرها. لا بدّ أن هذه قاعدة غامضة لم يخبرني أحد عنها عند العودة إلى الماضي.

«لا بأس. لم يعد لديك الكثير من الوقت، أليس كذلك؟ كما ليس لديّ الكثير من الوقت أيضاً».

«ماذا؟».

«آسف».

لم يتمكّنا من أن يتفاهما ولم يوصلهما حديثهما إلى أي نتيجة. ولا تزال فوميكو مشوّشة على الرغم من أنها عرفت اللحظة التي

عـادت إليهـا. ففـي نهاية الأمر، كانـت المرة الأولى التي تعود فيها إلى الماضي.

وكـي تمنـح نفسـها مزيـداً من الاسـتقرار، ارتشـفت القليل من فنجان القهوة بينما كانت تراقب تعابير وجه غورو.

لا! القهوة فاترة الآن! وسوف تبرد خلال وقت قصير!

شعرتْ بالهلع، كان بإمكانها إنهاء فنجان القهوة بأكمله وهو لا يزال ساخناً. ولكن تلك النكسة غير المتوقّعة جعلتها تعبس في وجه كازو التي ظلّت نظراتها الباردة تتفرّس في ملامح وجهها. ولكن هذا لم يكن كل شيء...

«أوه... إنها مُرّة جداً».

لقـد فاقـت مـرارة طعم القهوة توقّعاتها، إذ كانت أكثر مرارة من طعم العلقم. أما غورو فكان مرتبكاً لسماع صوت فوميكو المضطرب وكلماتها الغريبة.

ففـرك حاجبـه الأيمـن، ونظـر إلى سـاعته، والقلـق يعلو وجهه بسـبب اقتراب وقت رحيله الذي كانت تعلم به فوميكو، ولكن هذه المرّة كانت على عجلة من أمرها هي الأخرى.

قالت على عجل: «...لديّ أمر مهمّ لا بدّ من أن أقوله».

أخذت فوميكو بعض السـكر من وعاء السـكر الموضوع أمامها ووضعته في فنجانها، وبدأت تحرّكه بالملعقة بعنف، بعد إضافة كمية كبيرة من الحليب.

تجهّم وجه غورو: «ماذا؟».

لم تعرف فوميكو إن كان تجهّم وجه غورو لأنها أضافت الكثير

مـن السـكر، أم لأنـه لم يتمكّن مـن التحدّث معها حول موضوع هامّ حينها.

«مـا أعنيـه هـو... أريـد التحدّث معـك حول هذا الأمر بشـكل واضح».

نظر غورو إلى ساعته.

«انتظـر لحظـة...» ارتشـفت فوميكو بعض القهـوة التي أضافت إليها السكر، ثم أومأت برأسها برضا، فهي لم تبدأ بشرب القهوة إلا بعد أن قابلت غورو.

فكانت ذريعة دعوته إلى شرب القهوة هي التي أدت إلى تجدّد مواعيدهما. ارتسـمت على وجه غورو ابتسـامة عريضة سـاخرة وهو يراقب تصرفات فوميكو الغريبة، فهي تضيف السكر والحليب بمقادير كبيرة لتجعل طعمها ألذّ كونها لا تحب القهوة.

«أنـت! إن الموضـوع جـادّ، وأنـت تنظـر إليّ سـاخراً من طريقة شرب القهوة».

«لا، أنا لا أسخر منك».

«بل تسـخر مني بوضوح، لا يمكنك إنكار ذلك، فأنا أسـتطيع معرفة ذلك ما إن أنظر إلى عينيك».

أعربت فوميكو عن أسـفها لمقاطعتها المحادثة الجادّة، بعد أن بذلـت قصـارى جهدهـا للعودة إلى الماضي، وولكنها لا تزال تُسـيّر الأمور بالطريقة نفسـها التي سـارت عليها قبل أسـبوع، فظلت تقاطع حديثه الجدّي لتنطق بكلام طفولي لا معنى له.

نهـض غـورو عن كرسـيه، وقـد بدا مضطرباً، فنـادى كازو التي

وقفت خلف صندوق المحاسبة.

أمسك بالفاتورة: «عفواً... كم من فضلك؟».

علمت فوميكو أنها إذا لم تفعل شيئاً، فسيدفع غورو الحساب، وسيغادر: «انتظر!».

«لا بأس. دعينا نترك الأمور على حالها».

«لم آتِ لأقول هذا».

«ماذا؟».

(لا تذهب.)

«لماذا لم تتحدّث معي بخصوص هذا؟».

(لا أريدك أن تذهب).

«حسناً، هذا...».

«أعرف كم يعنيه عملك بالنسبة إليك، ولا أعارض ذهابك إلى أميركا، فلن أكون عقبة تعترض طريقك وتحول دون تحقيق هدفك».

(اعتقدت أننا سنكون معاً إلى الأبد).

«ولكن على الأقل...».

(هل كنت أفكّر في ذلك وحدي؟)

«أردتك أن تناقش هذا الموضوع معي، فكما تعلم، إنه لأمر مشين حقاً أن تقرر ذلك من دون الرجوع إليّ...».

(أنا حقّاً...)

«هذا فقط... حسناً، أنت تعرف».

(...أحببتك).

«يجعلني أشعر أنني منسيّة...».

«...».

«ما أردت قوله هو...».

«...».

(لن يغيّر ما سأقوله شيئاً...)

«حسناً... أردت فقط قول هذا».

قرّرت فوميكو التحدث بصراحة، ففي نهاية الأمر، لم يكن ذلك ليغيّر الحاضر. لكنها لم تقدر على ذلك.، إذ شعرت أن تلفّظها بتلك الكلمات سيكون بمثابة الاعتراف بالهزيمة. وهكذا، كانت ستكره نفسها لو قالت مثلاً: أيّهما ستختار؟ أنا أم العمل؟ لأنها لطالما وضعت عملها في المرتبة الأولى حتى التقت غورو، وكان ذلك آخر ما تودّ قوله. كما أنها لم ترد التوسّل إليه كما تتوسّل الفتيات عادةً حفاظاً على كبريائها، خصوصاً أن حبيبها يصغرها بثلاث سنوات. أولعلّها شعرت بالغيرة من مسيرته المهنية الّتي أولاها كل اهتمامه. لذلك لم تتحدث معه بصراحة... لأنه قد فات الأوان على فعل ذلك.

«حسناً إذاً، اذهب... لا يهم... فما من شيء سأقوله سيمنعك من السفر إلى أميركا».

أنهت فوميكو قهوتها بعد أن قالت هذا: «يا إلهي».

بدأت تشعر بالدوار مجدداً عندما فرغ الفنجان.، وبدأ يبتلعها ذلك العالم المتلألئ والمتموّج.

راحت تتساءل: (ما الذي عدت من أجله بالضبط؟).

«لم أظنّ يوماً أنني الرجل المناسب لك».

لم تعرف لِمَ قال غورو هذا العبارة.

ثـم تابـع: «عندمـا كنت تدعينني إلى احتسـاء القهوة، كنت أخبر نفسي أنه لا يجدر بي الوقوع في غرامك...».

«ماذا؟».

«لأنه لديّ هذا...» مرّر أصابعه من خلال خصلات شعره، الذي كان يسـرّحه بطريقـة تخفـي الجانـب الأيمـن من جبهته، كاشـفاً آثار الحروق العميقة التي امتدّت من حاجبه الأيمن إلى أذنه اليمنى. «قبل أن أقابلك، كنت موقناً أن النساء جميعاً يجدنني مثيراً للاشمئزاز. لذا، لم أجرؤ يوماً على الاقتراب منهنّ أو التحدث إليهن».

«أنا...».

«حتى بعد أن بدأنا نتواعد».

صاحـت فوميكـو: لـم يزعجني هذا أبداً! لكنها بدأت تمتزج مع البخار، فلم تصل كلماتها إليه.

«اعتقدتُ أنها كانت مسألة وقت قبل أن تقعي في حب شخص آخر أجمل مني مظهراً».

(على الإطلاق... كيف يمكنك أن تعتقد ذلك!)

«لطالما اعتقدت أن...

(أبداً!)

صدمت فوميكو عندما سـمعته يعترف بمشـاعره للمرة الأولى، ولكـن الآن بعـد أن عبّـر بوضـوح عما يختلج فـي داخله، بدا تصرّفه منطقياً، إذ كانت كلما ازداد حبها له، وفكّرت في الزواج به، شعرت بأن حاجزاً غير مرئي يفرّق بينهما.

عندمـا سـألته إن كان يحبهـا، أومأ لها برأسـه، لكنـه لم يقل لها

بصراحة أنا أحبك. وبينما كانا يتجوّلان معاً في الشوارع، كان يخفض غـورو نظـره فـي بعض الأحيان، وكأنه يعتذر لها، وهو يلمس حاجبه الأيمـن، ولا سـيّما حيـن كان يلاحـظ إعجـاب الرجـال الذين كانوا يرونها معه بها، وهم يطيلون النظر إليها.

(بالطبع لم يكن يعلّق على الأمر حينها).

لكن، عندما عرفت شعوره، ندمت فوميكو على الأفكار السوداء التي كانت تراودها، ففي حين أنها اعتبرت أن ما كان يحصل مجرد أمر عابر، لكنه في الواقع كان مؤلماً بالنسبة إليه وطويل الأمد.

(لم يكن لدي أدنى فكرة عن أنه كان يشعر بهذا الألم العميق)

تلاشى وعي فوميكو، وغرق جسدها في إحساس غامر بالدوار وسط دوّامة من الضّياع. استلم غورو الفاتورة، ومشى باتجاه صندوق المحاسبة وهو يحمل حقيبته.

(لـن يتغيّـر الحاضـر، ومـن الصـواب أن لا يتغيّـر. لقد اتخذت الاختيـار الصحيـح، فتحقيق حلمه أهم بكثير من وجودي في حياته. لذا، أعتقد أنني يجب أن أتخلى عن غورو، سـأدعه يذهب، وأتمنى له النجاح من أعماق قلبي).

أغمضت فوميكو عينيها المتعبتين ببطء، عندما أدار غورو ظهره وقال لها: «ثلاث سنوات.. أرجوك انتظري ثلاث سنوات. ثم أعدك أنني سأعود».

بدا صوته خافتاً، لكن بسبب ضيق مساحة المقهى، وعلى الرغم مـن أنـه لـم يبـقَ منها سـوى بخار، إلا أن فوميكو تمكّنت من سـماع صوته بوضوح.

«عندما أعود...» لمس غورو حاجبه الأيمن كعادته، مولياً ظهره لفوميكو، وأضاف شيئاً آخر بصوت خافت لم تتمكّن من سماعه.

«ماذا؟».

في تلك اللحظة، تحوّل وعي فوميكو في هذا المكان إلى بخار متناثر. وفي اللحظة التي كانت تنزلق فيها بعيداً، رأتْ وجهه وهو ينظر إلى الوراء قبل مغادرته المقهى. لقد رأت وجهه لجزء من الثانية، وهو يبتسم ابتسامة ساحرة، تماماً كما بدا عندما سألها سابقاً: «ربما يمكنك أن تقدّمي لي القهوة؟».

عندما استعادت وعيها، وجدت فوميكو نفسها جالسةً على الكرسي، وحيدةً في المقهى، فظنّت أنها كانت تحلم، لكن فنجان القهوة كان فارغاً أمامها، وهي لا تزال تشعر بطعم حلاوتها في فمها.

بعد ذلك، عادت المرأة التي ترتدي الفستان الأبيض من المرحاض، عندما رأت فوميكو جالسةً مكانها على كرسيها، انقضّت بهدوء عليها.

قالت بصوت منخفض لكنه حازم ومخيف: «تحرّكي».

قالت فوميكو وهي تنهض عن الكرسي: «أنا...ـ أنا آسفة».

لم يتبدّد إحساسها بالحيرة والضياع، وبدا وكأنها لا تزال تحلم، هل عادت فعلاً إلى الماضي؟

لم تغيّر العودة بالزمن الحاضر، لذا كان من الطبيعي ألا تشعر بأن شيئاً قد اختلف. فاحت رائحة القهوة من المطبخ. التفتت فوميكو نحو مصدر الرائحة، فظهرت كازو وهي تحمل كوباً من القهوة

الطازجة على صينية.

مرّت كازو بالقرب منها، وكأن شيئاً لم يحدث. عندما وصلت إلى طاولة المرأة التي ترتدي الفستان الأبيض، أخذت فنجان فوميكو الفارغ ووضعت مكانه فنجان القهوة السّاخن. أومأت المرأة لها إيماءة صغيرة، وبدأت تقرأ في كتابها.

سألت كازو بعفوية وهي عائدة إلى المنضدة: «كيف كان ذلك؟». عندما سمعت هذه الكلمات، تأكدت فوميكو أخيراً أنها سافرت عبر الزمن. لقد عادت إلى ذلك اليوم - أي إلى الأسبوع الماضي، ولكن إذا كانت...

«إذاً أنا أفكر وحسب...».

«نعم؟».

«إنه لا يغيّر الوقت الحاضر، أليس كذلك؟».

«هذا صحيح».

«ولكن ماذا عن الأحداث التي ستحدث لاحقاً؟».

«لست أفهم ما تقولينه».

«من الآن فصاعداً». اختارت فوميكو كلماتها بحذر، «من الآن فصاعداً - ماذا عن المستقبل؟».

نظرت كازو مباشرةً إلى وجهها، قالت وهي تبتسم للمرة الأولى: «حسناً، بما أن المستقبل لم يُرسم بعد، أعتقد أنه باستطاعتك رسم خطوطه وفق مشيئتك».

فتلألأت عينا فوميكو.

وقفت كازو أمام صندوق المحاسبة وقالت بهدوء: «خدمة

القهوة، بالإضافة إلى التكلفة الإضافية لبقائك لوقت متأخّر من الليل، أربعمئة وعشرون يناً، من فضلك».

أومأت لها فوميكو برأسها وتوجّهت نحو صندوق المحاسبة، شعرت وكأنها تمشي بخفة، وبعد أن دفعت الأربعمئة وعشرين يناً، نظرت إلى عيني كازو، وقالت: «شكراً»، ثم أحنت لها رأسها تعبيراً عن امتنانها، ثم جالت بعينيها في أنحاء المقهى، وانحنت مرة أخرى، ولكن هذه المرة ليس لأي شخص على وجه الخصوص، بل للمقهى نفسه، ثم خرجت من دون الشّعور بأي همّ أو غمّ.

صوت ضجيج

بدأت كازو بوضع الأموال داخل صندوق المحاسبة، وقد علت وجهها تعابير باردة كالعادة، وعاد الوضع إلى طبيعته كما وكأن شيئاً لم يحدث. ابتسمت المرأة التي ترتدي الفستان الأبيض ابتسامة طفيفة، وأغلقت الكتاب بهدوء، وفكان عبارة عن رواية عنوانها «العاشقان».

II

الزوج والزوجة:

لم يكن المقهى مكيفاً، فقد افتتح في العام 1874، قبل أكثر من 140 سنة. في ذلك الوقت، استخدم الناس مصابيح الزيت لإنارة المكان. وبمرور السنوات، خضع المقهى لبعض التعديلات البسيطة، لكن من دون تغيير تصميمه الداخلي. لابد من أن ديكور المقهى كان يعتبر عصرياً للغاية وقت افتتاحه. أمّا التاريخ المحدّد عموماً لظهور أول مقهى معاصر في اليابان فكان حوالي عام 1888، أي بعد افتتاح هذا المقهى بمدة 14 عاماً.

تم إدخال القهوة إلى اليابان خلال حقبة الإيدو، في أواخر القرن السابع عشر. في البداية، لم تنل هذه القهوة استحسان اليابانيين، ومن المؤكد أنها لم تُعتبر حينها شراباً لذيذاً. وهذا لم يكن غريباً إذ إن طعمها كان كطعم الماء الأسود، المرّ.

عندما اخترعت الكهرباء، بدّل أصحاب المقهى مصابيح الزيت بمصابيح كهربائية، لكن تركيب مكيف هواء كان من شأنه أن يدمّر سحر التصميم الداخلي. لذا، لا يزال المقهى حتى يومنا هذا، من دون مكيّف.

ولكن الصيف يحلّ كل عام، وعندما ترتفع درجات الحرارة في منتصف النهار إلى ما يزيد عن 30 درجة مئوية، يصبح الحر شـديداً داخـل المقهـى، حتـى ولو كان تحـت الأرض. احتوى المقهى على مروحة سقف ذات شفرات كبيرة، ولابدّ أنها وُضعت لاحقاً بما أنها تعمل بالطاقة الكهربائية. لكن مروحة سقف مثل هذه لا توفّر نسيماً لطيفاً بل تعمل ببساطة على تحريك الهواء في أرجاء المكان.

أعلى درجة حرارة سجلت على الإطلاق في اليابان هي 41 درجة مئوية في إيكاواساكي في محافظة كوتشي. ومن المستحيل أن تتمكّن مروحة سـقف من تلطيف الجوّ في ظلّ شـدّة ارتفاع درجة الحرارة. لكـن، حتـى فـي ذروة ارتفاع حرارة الصيـف، يظلّ هذا المقهى بارداً وينعـش روّاده. فكيـف يحافظ علـى برودته؟ لا أحد يعرف الجواب سوى الموظفين، ولن يعرفه أحد على الإطلاق.

إنـه بعـد ظهـر أحـد أيام الصيـف، في وقت مبكر من الموسـم، ولكـن درجـة الحـرارة في الخارج كانـت مرتفعة مثل أي يوم صيفي آخر. جلست امرأة شابة خلف المنضدة في المقهى منهمكة بالكتابة، وكان بجانبهـا كـوب قهـوة مثلجـة ولكن الثلـج كان قد ذاب كلياً من داخله. ارتدت المرأة ملابس صيفية خفيفة، قميصاً أبيض مزركشـاً، وتنـورة قصيـرة رماديـة ضيقـة، وانتعلت صندلاً ذا أشـرطة. جلسـت وظهرها مشـدود، بينما كان قلمها ينسـاب انسـياباً على ورقة كرزية اللون.

ومـن وراء المنضـدة، وقفـت امـرأة نحيلة ذات بشـرة شـاحبة، وعينان مليئتان ببريق الشـباب، تدعى كي توكيتا، وكانت تراقبها، إذ

أثار فضولها محتوى الرسـالة بلا شـك. وكانت بين الفينة والأخرى، تلقي نظرات خاطفة، تلتها نظرات مليئة بالانبهار الطفولي.

بالإضافة إلى المرأة الجالسـة أمام المنضدة المنهمكة في كتابة الرسالة، ارتاد زبائن آخرون المقهى، وهم المرأة التي ترتدي الفستان الأبيض الجالسـة على ذلك الكرسـي، ورجل اسـمه فوسـاغي، كان يجلس خلف الطاولة الأقرب من المدخل، وهو يتصفّح مجلة.

تنفّسـت المرأة التي تكتب الرسـالة بعمق. ثم اقتربت منها كي، وأخذت نفساً عميقًا أيضاً.

قالـت المـرأة، وهـي تضع رسـالتها داخل مغلف: «آسـفة لأني أطلت البقاء هنا».

قالت كي وهي تنظر إلى قدميها بشكل تلقائي: «لا عليك».

«هل يمكنك إيصال هذه إلى أختي؟».

أمسـكت المـرأة المغلـف الـذي يحتوي الرسـالة بكلتـا يديها، وقدمتـه إلـى كـي بـأدب. كانت تدعـى كومي هيـراي، وهي الأخت الصغرى لزبونة المقهى الدائمة يايكو هيراي.

«حسـناً، إذا عرفت أختك...» عضّت كي على شـفتها، وقررت عدم الاستمرار بالكلام.

أمالت كومي رأسها قليلاً، ونظرت بفضول إلى كي.

لكن كي ابتسمت ببساطة، وهي تنظر إلى الرسالة التي تحملها كومـي كمـا لـو أنها لم تقصد شـيئاً سـيّئاً بكلامها. قالت، «حسـناً... سأوصلها إليها».

تردّدت كومي قليلاً، ثم قالت وهي حانية الرأس: «أعلم أنها قد

لا تقرأها. لكن إذا استطعت...».

توقّفت كي عن الكلام فجأة احتراماً للمرأة. وقالت وكأنه عُهد إليها بشيء بالغ الأهمية: «بالطبع سأفعل». أمسكت الرسالة بكلتا يديها، وانحنت بتهذيب، في الوقت الذي توجّهت فيه كومي إلى صندوق المحاسبة.

سألت كومي، وهي تسلم كي الفاتورة: «ما هو المبلغ المترتّب عليّ؟».

وضعت كي الرسالة بعناية على المنضدة، ثم أخذت الفاتورة، وبدأت بالضغط على مفاتيح صندوق المحاسبة.

كان صندوق المحاسبة في هذا المقهى قديماً للغاية، ربما هو أقدم صندوق محاسبة لا يزال قيد الاستخدام، على الرغم من أنه لم يتمّ شراؤه عند افتتاح المقهى. كانت مفاتيحه تشبه إلى حد كبير مفاتيح الآلة الكاتبة، وقد تم إحضاره إلى المقهى في عام 1925 تقريباً في بداية حقبة الشوا. كان متيناً للغاية، وقد صمّم للوقاية من السرقة، ويزن إطاره وحده حوالى 40 كيلوغراماً، يصدر صوت طقطقة مزعجة في كل مرة يضغط أحدهم على مفاتيحه.

«القهوة... الخبز المحمّص... أرز الكاري... البارفيه المتنوع...».

صوت النقر على المفاتيح بينما كانت كي تسجل الطلبات كان يصدر إيقاعاً متناغماً. «آيس كريم، صودا، بيتزا، خبز محمص...».

يبدو أن كومي تناولت الكثير من الطعام، إذ لم تتسع لجميع الطلبات فاتورة واحدة، ما جعل كي تبدأ بإدخال باقي الطلبات في

الفاتـورة الثانيـة. «كاري بيلاف...بانانا فلوت...لحم مع الكاري...» عادةً، لم يكن من الضروري قراءة كل صنف من الأصناف عالياً، لكن يبدو أن كي لم تمانع من فعل ذلك. كان مظهرها وهي تدوّن الطلبات على الصندوق يشبه طفلاً يمارس ألعاباً تغمره السعادة.

«ثـم طلبـتِ طبقاً من الغورغانزولا نوكي، الدجاج، والمعكرونة بكريم البيريلا...».

قالـت كومـي بصـوت عال إلى حـدّ ما: «تناولـت الكثير، أليس كذلـك؟». ربمـا بـدت محرجةً قليلاً من سـماع كي وهي تردّد جميع الطلبات، أو ربما كانت تودّ أن تقول لها من فضلك، ليس عليك أن تقرأيها كلها.

«لقد فعلت بالتأكيد».

بالطبع، لم تكن كي هي من قال هذه العبارة بل كان فوسـاغي الذي سمع ما طلبته، تمتم هذا الكلام بهدوء ثم واصل قراءة مجلته.

تجاهلتـه كـي، لكـن أذنـي كومـي تحولتا إلى اللـون وردي، ثم سألت كومي: «ما هو المبلغ المترتّب عليّ؟». لكن كي لم تنتهِ بعد.

«لنرى... ثم كان هناك الشطيرة المنوّعة... أونيجيري مشوي... طبـق ثانـي مـن أرز الكاري... القهـوة المثلجة.. يبلغ المجموع 230 يناً».

ابتسـمت كي، ولم تعكس عيناها المسـتديرتان اللامعتان سوى اللطف.

قالت كومي وهي تخرج النقود من حقيبتها: «حسناً، تفضّلي». أخذت كي النقود وعدتها بدقة، ثم قالت: «أعطيتني أحد عشر

ألف ين»، ضغطت على مفاتيح صندوق المحاسبة مرة أخرى.

انتظرت كومي خافضة رأسها.

صوت صندوق المحاسبة...

اهتزّ صندوق النقود وهو يُفتح، وسحبت كي الفكة.

«إليك 770 يناً».

ابتسمت كي مرة أخرى، وأعطت كومي المبلغ المتبقي وعيناها المستديرتان تتلألآن.

أحنت كومي رأسها بأدب: «شكراً لك. لقد كان الطعام لذيذاً».

ربما لأنها شعرت بالحرج بعد أن قرأت كي جميع أنواع الأطعمة التي تناولتها بصوت عالٍ، بدت كومي الآن متلهفة للمغادرة بسرعة، ولكن بينما كانت تغادر، نادتها كي.

قالت: «كومي...».

توقّفت كومي، ونظرت إليها.

قالت كي: «بشأن أختك...» ونظرت إلى قدميها. «هل هناك من رسالة تودين أن أوصلها إليها؟». وهي ترفع كلتا يديها عالياً وهي تسأل.

أجابت كومي من دون تردد: «لا بأس، لقد كتبت كل ما أريده في الرسالة».

تجعّد جبين كي كما لو أنه خاب أملها: «نعم، أعتقد أنكِ فعلتِ».

لعلّها تأثرت بالاهتمام الذي أبدته كي، فابتسمت كومي وقالت بعد التفكير ملياً: «ربما هناك شيء واحد يمكن أن تقوليه...».

ابتهجت كي على الفور: «نعم بالطبع».

«أخبريها أن أبي وأمي لم يعودا غاضبين بعد الآن».

كررت كي كلامها: «لم يعد والداك غاضبين».

«نعم... من فضلك أخبريها بذلك».

أشرقت عينا كي مرة أخرى، وأومأت مرتين، وقالت بسعادة: «حسناً، سأفعل».

جالت كومي بعينيها في أرجاء المقهى، وانحنت مودعة كي بأدب مرة أخرى قبل أن تغادر.

صوت صرير الباب

توجّهت كي إلى المدخل لتتحقّق من مغادرة كومي المقهى، وبعد ذلك عادت سريعاً، وبدأت تتحدث إلى الكرسي الفارغ خلف المنضدة.

«هل تشاجرت مع والديك؟».

أجاب صوت أجشّ من تحت المنضدة: «لقد تبرآ مني». قالت هيراي ذلك، وهي تظهرمن تحت المنضدة.

«لكنك سمعتها، صحيح؟».

«سمعت ماذا؟».

«أن والديك لم يعودا غاضبين».

«سأصدق ذلك، عندما أراهما...».

بعد أن جلست القرفصاء تحت المنضدة لفترة طويلة، انحنى ظهر هيراي مثل امرأة عجوز، فتعثّرت في الغرفة. وكعادتها كانت

تضع أسطوانات الشعر، وارتدت ملابس أنيقة مصنوعة من جلد النمر، قميصاً قصيراً، وتنورة وردية ضيقة، وانتعلت صندل الشاطئ.

تردّدت كي قليلاً قبل أن تتكلّم: «تبدو أختك لطيفة حقاً»

«عندما لا تكونين مكاني، يمكنها أن تكون لطيفة... بالطبع».

جلست هيراي على كرسي المنضدة الذي كانت تجلس عليه كومي، وأخرجت سيجارة من محفظتها المصنوعة من جلد النمر وأشعلتها. ارتفع الدخان في الهواء، وقد عكس وجه هيراي ضعفاً ووهناً، وهي تراقب دخان سيجارتها. بدت وكأن أفكارها قد جنحت إلى مكان بعيد.

مرّت كي بجوار هيراي لتقف أمامها خلف المنضدة، وسألتها: «هل تريدين التحدث عن ذلك؟».

نفخت هيراي مرّة أخرى الدخان في الهواء.

«إنها تكرهني».

سألت كي: «ماذا تقصدين؟».

«لم ترد أن ترثه».

أمالت كي رأسها بشكل جانبي غير متأكدة من فهمها لما قالته هيراي: «ماذا؟».

«النزل...».

أدارت عائلة هيراي نُزلاً فاخراً مشهوراً في سينداي، محافظة مياغي، وقد خطط والداها قبل ثلاثة عشر عاماً تسليمها إدارة النزل، لكنها اختلفت معهما، فقررا أن تكون كومي هي الوريثة. وقد

كانت صحّة والديها جيدة، لكنهما أصبحا مسنّين، وبصفتها المديرة المستقبلية، قبلت كومي أن تتولّى أمر النزل وحدها، وكانت تذهب بشكل منتظم إلى طوكيو لزيارة هيراي ومحاولة إقناعها بالعودة إلى المنزل.

«ظللت أُخبرها بأنني لا أريد العودة إلى المنزل، لكنها واصلت سؤالي مراراً وتكراراً». طوت هيراي أصابع كلتا اليدين الواحد تلو الأخرى كما لو أنها كانت تعدّ عدد المرات الّتي حاولت من خلالها إقناعها بتغيير رأيها. «وصفها بالمثابرة لن يعطي الجهود التي بذلتها حقّها».

«ولكن ليس عليك الاختباء منها».

«لا أريد رؤيته».

«رؤية ماذا؟».

«وجهها».

فأمالت كي رأسها بشكل فضولي.

قالت هيراي: «يمكنني قراءة تعابير وجهها بدقّة، وبسبب ما فعلته، ستصبح الآن مالكة لنزل لا ترغب في أن تديره. لذا، تريدني أن أعود إلى المنزل حتى تصبح حرّة».

أشارت كي وهي غير مقتنعة بكلامها: «لا أرى حقاً كيف يمكنك معرفة كل ذلك من قراءة ملامح وجهها».

لقد عرفت هيراي كي جيداً، وهي تعلم أنها قد تكافح لتفهم مضمون كلامها. لكن أخطأ عقلها الذي مال إلى تحليل الكلام بحرفيته من دون فهم أبعاده أحياناً.

قالت هيراي: «ما أعنيه أنني أشعر أنها تضغط عليّ».

نفخت الدخان في الهواء وعبست.

وقفت كي هناك تفكر، وقد أمالت رأسها عدة مرات.

ثم قالت هيراي بشكل دراميّ: «يا إلهي! هل حان الوقت؟ يا إلهي!».

أطفأت سيجارتها بسرعة في المنفضة. «لديّ حانة عليّ افتتاحها». ووقفت ومدّدت أطرافها بحذر.

«لابد من أن أنك تشعرين بألم في ظهرك بعد قضاء ثلاث ساعات وأنت منحنية تحت المنضدة».

ربّتت هيراي على أسفل ظهرها، وتوجّهت بسرعة إلى المدخل، فسمع الجميع صوت صندلها وهي تغادر.

«انتظري! الرسالة». أمسكت كي بالرسالة التي أعطتها إيّاها كومي وقدمتها لهيراي.

قالت هيراي من دون أن تنظر إليها حتى: «ارمِها بعيدا!». ولوّحت بيدها اليمنى رافضة استلامها تماماً.

«ألن تقرأيها؟».

«يمكنني توقّع محتواها. إنه أمر يصعب عليّ القيام به بمفردي. أرجوك عودي إلى المنزل، يمكنك تعلم إدارة النُزل عندما تعودين. وأشياء من هذا القبيل».

بينما كانت تتحدث، سحبت هيراي محفظتها التي بحجم القاموس من الحقيبة المصنوعة من جلد النمر. ووضعت ثمن فنجان القهوة على المنضدة.

وقالت وهي تغادر المقهى: «أراكما لاحقاً».

صرير الباب

أظهر وجه كي عجزها عن حلّ المعضلة عندما نظرت إلى الرسالة التي أعطتها إياها كومي: «لا يمكنني رميها بعيداً».

صوت صرير الباب

بينما كانت كي لا تزال تقف جامدة مكانها، فُتح الباب مرة أخرى، ودخلت كازو توكيتا المقهى، بدلاً من هيراي.

لقد خرجت كازو اليوم برفقة ناغاري، صاحب المقهى وابن عمها، لشراء احتياجات المقهى. وقد عادت وهي تحمل عدة أكياس بكلتا يديها، وقد تدلّى مفتاح السيارة مع مفاتيح أخرى من الحلقة المعلّقة بإصبعها. وكانت قد ارتدت ملابس غير رسمية، قميصاً وبنطال جينز أزرق يتناقضان على نحو صارخ مع ربطة العنق والمئزر اللذين ترتديهما في أثناء العمل.

ابتسمت وهي لا تزال تحمل الرسالة: «مرحباً بعودتك، آسفة، لقد استغرقنا الأمر وقتاً طويلاً».

«لا، لا عليك. لقد كان المقهى هادئاً».

لطالما كان وجه كازو أكثر تعبيراً عمّا في داخلها عندما لا تضع ربطة العنق «سوف أغيّر ملابسي على الفور». مدّت لسانها بمرح ودخلت الغرفة الخلفية.

بقيت الرسالة بيد كي، وهي تصيح: «أين زوجي اللعين؟». ونظرت إلى المدخل.

لقد تسوّق ناغاري وكازو معاً، ولم يحصل ذلك لأن المقهى يحتاج إلى الكثير من الأغراض التي يجب عليهما ابتياعها، بل لأن ناغاري يتمتع بذوق صعب، ولكنّه يبالغ دائماً بتلبية رغبته في شراء الأفضل لدرجة أنه غالباً ما يتجاوز الميزانية. وقد تمثلت مهمّة كازو في أن ترافقه للتأكد من عدم تخطّيه الميزانية. في أثناء تسوّقهما، كانت تتولى كي إدارة المقهى بمفردها. وفي بعض الأحيان عندما لا يتمكّن ناغاري من شراء ما يريده، يلجأ إلى احتساء الخمر، لتفوح منه رائحة كريهة.

قالت كازو: «أخبرني أنه قد يتأخّر في العودة».

«أراهن أنه خرج لاحتساء الخمر مرة أخرى».

مدّت كازو رأسها، وقالت بنبرة أسف: «سأتولّى الأمر الآن».

قالت كي وقد نفخت خديها: «لا يمكنني تصديق ذلك الرجل!». ثم دخلت إلى الغرفة الخلفية وهي لا تزال تحمل الرسالة. الأشخاص الوحيدون المتبقون في المقهى هم المرأة التي ترتدي الفستان الأبيض التي تقرأ الرواية بهدوء وفوساغي. وعلى الرغم من أنه فصل الصيف، إلا أنهما كانا يشربان القهوة الساخنة لسببين: أولاً، لأنهما دُعيا إلى احتساء فنجان مجاني من القهوة الساخنة. ثانياً، لأنّ احتساء القهوة الساخنة لا يزعج هذين الزبونين في ظلّ برودة الجو داخل المقهى، وقد جلسا هناك لفترة طويلة على أي حال. سرعان ما عادت كازو مرتدية زي النادلة الرسمي.

بدأ الصيف، وبلغت درجة الحرارة في الخارج حوالى 30 درجة مئوية، وعلى الرّغم من أنها مشت أقل من 100 متر من مرآب السيارات إلى المقهى، لكن قطرات العرق تلألأت على وجهها. فزفرت بقوة أثناء لف رأسها بمنديل.

قال فوساغي الذي أبعد عينيه عن المجلة: «المعذرة...».

أجابت كازو، وكأنها قد تفاجأت: «نعم؟».

«من فضلك، هل يمكنك إعادة ملء فنجاني؟».

أجابته: «بالطبع؟». وخلافاً لسلوكها البارد المعتاد، أجابت بالنّبرة غير الرسمية التي اعتادت استخدامها في أثناء ارتداء ملابسها العادية.

ثبّت فوساغي ناظريه على كازو، وهي تدخل المطبخ. لطالما كان فوساغي عندما يدخل إلى المقهى، يجلس على الكرسي نفسه، وهو يفضّل أن يغادر المكان على أن يجلس على كرسي آخر، وكان لا يرتاد المقهى يومياً بل مرتين أو ثلاث مرات في الأسبوع وبعد وقت تناول الغداء. وقد اعتاد تصفّح مجلة سفر من الغلاف إلى الغلاف، وتدوين ملاحظاته حولها بين الحين والآخر. وهو يبقى في المقهى حتى ينتهي من قراءة المجلة، والشيء الوحيد الذي اعتاد طلبه هو القهوة الساخنة.

صُنعت القهوة المقدّمة في المقهى من حبوب موكا المزروعة في أثيوبيا، والتي تتميّز برائحتها الفوّاحة. لكنها لم ترق لأذواق الجميع، على الرغم من أن رائحتها كانت زكية للغاية، إلا أن بعض الزبائن وجد أن مرارة طعمها ورائحتها الطاغية لا تطاقان. ولكن بناء

على إصرار ناغاري، يقدّم المقهى الموكا فقط. وقد أُعجب فوساغي بطعم هذه القهوة، كما بدا أنه يجد المقهى مكاناً مريحاً لقراءة مجلته بهدوء. عادت كازو من المطبخ، وأحضرت معها إبريقاً زجاجياً لتعيد ملء فنجان فوساغي.

إنها تقف أمام طاولته، وهي تمسك بصحن الفنجان. عادة كان يستمرّ فوساغي بقراءة مجلته ولا ينظر إليها وهي تعيد ملء فنجانه. لكن اليوم كان سلوكه مختلفاً: نظر إليها مباشرة، وعلت وجهه تعابير غريبة.

فلاحظت أن سلوكه بدا مختلفاً هذه المرة، واعتقدت أنه يريد شيئاً آخر إلى جانب القهوة، فسألته مبتسمة: «أتريد شيئاً آخر؟».

ابتسم لها بأدب، وبدا محرجاً قليلاً. عندما سألها: «هل أنت نادلة جديدة هنا؟».

لم تتغير تعابير وجهها وهي تضع الفنجان أمام فوساغي، وكان كل ما نطقت به هو «ممممم...».

قال بخجل: «حقاً؟». بدا سعيداً لأنه أبلغ النادلة بأنه زبون دائم، لكنه سرعان ما أخفض رأسه مجدّداً، وعاود قراءة مجلته برضا.

أدت كازو مهمتها من دون أن تتغيّر ملامح وجهها الباردة كما لو أنه لم يحصل شيئاً خارجاً عن المألوف. لكن في ظلّ عدم وجود زبائن آخرين، لم يكن هناك الكثير للقيام به. عندها اكتفت بمسح بعض الأكواب والأطباق المبللة بمنشفة صغيرة ووضعها بعد ذلك على الرفّ. وفي أثناء قيامها بذلك، بدأت تتحدث إلى فوساغي. ففي هذا المقهى الصغير والحميم، كان من السهل جداً إجراء محادثة عبر

هذه المسافة من دون الحاجة إلى رفع المرء صوته.

«إذاً، هل تأتي إلى هنا كثيراً؟».

رفع رأسه وأجاب: «نعم».

تابعت كلامها: «هل تعرف عن هذا المكان؟ هل سمعت أسطورته الحضرية؟».

«نعم، أعرف كل شيء عنه».

«هل تعرف عن ذلك المقعد أيضاً؟».

«نعم».

«إذاً أنت أحد أولئك الزبائن الذين يريدون العودة إلى الماضي؟».

أجاب من دون تردّد: «نعم».

توقفت يداها عن القيام بالعمل لبعض الوقت وسألته: «إذا عدت إلى الماضي، ما الذي تنوي فعله؟».

لكنها تراجعت على الفور، عندما أدركت أن السؤال كان فضولياً للغاية ولا يحقّ لها أن تسأله: «أنا آسفة... لم يكن يجدر بي طرح هذا السؤال عليك». أحنت رأسها، وعادت إلى مسح الأكواب متجنبةً نظراته.

نظر إليها ورأسها منحنٍ، والتقط بهدوء محفظته المغلقة، وسحب منها مغلفاً بنياً عادياً، كانت قد تفتّت زواياه الأربع فبدا وكأنه كان يحمله معه منذ فترة طويلة. لم يُدوّن على الظرف أي عنوان، ولكنه بدا وكأنه رسالة موجّهة إلى أحدهم.

حمل رسالته بكلتا يديه، رافعاً إيّاها أمام صدره كي تراها بوضوح.

سألت: «ما هذه؟». وتوقّفت مرة أخرى عن القيام بما كانت تفعله.

تمتم بصوت هادئ: «لزوجتي. إنها لزوجتي».

«هل هي رسالة؟».

«نعم».

«لزوجتك؟».

«نعم، لم أتمكّن أبداً من إعطائها إياها».

«إذاً، هل تريد العودة إلى اليوم الذي أردت إعطاءها الرسالة فيه؟».

أجاب مرة أخرى من دون تردّد: «نعم، هذا صحيح».

سألته: «أين زوجتك الآن؟».

وبدلاً من الإجابة على الفور، ساد صمت مطبق أحرج كازو: «ممم...».

فوقفت تنظر إليه مباشرة، منتظرة إجابته.

ثمّ تابع بصوت واضح وهو يحكّ رأسه: «لا أعلم». وقد ازدادت ملامحه جدّية بعد قوله ذلك.

فلم تتمكّن من قول كلمة بل بقيت صامتة.

ثم قال بلهجة أسى: «حسناً، كان لدي زوجة حقاً». ثم أضاف على عجل، «كان اسمها...» بدأ ينقر على رأسه بأصابعه.

«هذا غريب». أحنى رأسه وقال، «ما كان اسمها؟». صمت مجدداً.

خلال هذا الحديث بينهما، عادت كي من الغرفة الخلفية، وقد

بـدا وجههـا متعبـاً، ربما لأنها كانت قد أصغت للتو إلى حديث كازو وفوسـاغي. قال فوسـاغي وهو يبتسـم بغرابة: «حسـناً هذا غريب. أنا آسف».

أظهـر وجـه كازو مزيجـاً من العواطف المتناقضة التّي لا تشـبه تعابيرها المعتادة، لكنها لـم تظهر الكثير من التعاطف مع ما سمعته. قالت، «لا تقلق بشأن ذلك...».

صوت صرير الباب

نظرت كازو بصمت إلى المدخل.

شهقت بقوة عندما رأت كوتاكي تقف عند المدخل.

تعمـل كوتاكـي ممرضـة فـي المستشـفى المحلـي، ولا بد أنها كانـت فـي طريقهـا إلى المنزل، لأنها لـم تكن ترتدي زي الممرضات الرسمي، بل ارتدت سترة خضراء بلون الزيتون، وبنطالاً قصيراً أزرق اللون. وتدلّت على كتفها حقيبة سـوداء، فمسـحت العرق المتصبّب عـن جبينهـا بمنديـل أرجوانـي، وألقت كوتاكي التحيـة كالعادة على كـي وكازو اللتيـن وقفتـا خلـف المنضدة قبل أن تسير باتجاه طاولة فوساغي.

قالت: «مرحباً فوساغي، أرى أنك هنا اليوم أيضاً».

حدّق إلى كوكاتي محتاراً بعد سماعها وهي تنادي اسمه، وقبل أن يتفادى نظراتها، ويخفض رأسـه في صمت. شـعرت كوتاكي أن مزاجه مختلف عن العادة، فافترضت أنه ليس على ما يرام.

سألته بلطف: «فوساغي، هل أنت بخير؟».

رفع فوساغي رأسه ونظر إليها مباشرة، وسألها بنبرة غريبة: «أنا آسف، هل سبق لنا أن التقينا؟».

اختفت الابتسامة عن وجه كوتاكي، وساد صمت تام، وسقط المنديل الأرجواني الذي استخدمته لمسح العرق عن جبينها على الأرض.

ظهرت على فوساغي بدايات مرض ألزهايمر، وبدأ منذ فترة يفقد ذاكرته، إذ يتسبّب هذا المرض باستنزاف سريع للخلايا العصبية في الدماغ، وبضمورها تدريجيّاً، الأمر الذي يؤدي إلى فقدان الذاكرة وتغيّر شخصية المريض. كما تعدّ من أبرز أعراض مرض الزهايمر تدهور وظائف المخ بشكل متقطع. فيعاني المصابون من نسيان بعض الأشياء ولكنهم يتذكرون أشياء أخرى في المقابل. وفي حالة فوساغي، كانت ذكرياته تتلاشى تدريجياً، بدءاً من الأحدث إلى الأقدم. كما تلاشت شخصيته الصعبة الإرضاء تدريجياً. وفي تلك اللحظة، تذكّر فوساغي أن لديه زوجة، لكنه لم يتذكر أن كوتاكي التي وقفت أمامه، كانت هي هذه الزوجة.

أجابته كوتاكي بهدوء وهي تتراجع خطوة أو خطوتين إلى الوراء، «لا أعتقد ذلك».

حدّقت كازو إلى كوتاكي، وخفضت كي نظرها إلى الأرض، بينما استدارت كوتاكي ببطء، وسارت نحو الطاولة الأبعد عن طاولة فوساغي، وجلست.

بعد جلوسها، لاحظت أنها أسقطت المنديل، فقررت أن تتجاهله وتتظاهر بأنه لم يكن لها، لكن فوساغي لاحظ المنديل، الذي سقط

بالقرب من قدمه، فالتقطه، وحدّق إليه لبعض الوقت، ثم نهض عن كرسيه، وسار نحو المنضدة، حيث جلست كوتاكي.

قال وهو يحني رأسه: «أرجو المعذرة. لكن يبدو أنني أنسى الكثير مؤخّراً».

ومن دون أن تتلاقى نظراتهما أجابته: «حسناً». أخذت المنديل بيدها المرتجفة.

أحنى فوساغي رأسه مجدداً، وعاد إلى كرسيه محرجاً، لكنه لم يستطع الاسترخاء. وبعد أن قلّب عدة صفحات من مجلته، رفع رأسه وهو يحكّه. ثم بعد لحظات قليلة، مدّ يده فتناول فنجان قهوته ورشف القليل منه بعد أن أعادت كازو للتو ملء فنجانه من جديد، لكنه تمتم: «القهوة اللعينة باردة».

سألته كازو: «أتريدني أن أعيد ملء فنجانك مجدّداً؟».

لكنه وقف على عجل، وقال فجأة: «سأرحل الآن». أغلق مجلته ووضّب أغراضه، وكوتاكي تواصل التحديق إلى الأرض، ويداها على حجرها تشدّان على المنديل بإحكام.

توجّه فوساغي نحو صندوق المحاسبة وطلب الفاتورة.

«كم أدين لك؟».

أجابت كازو، وهي تلقي نظرة خاطفة من طرف عينها على كوتاكي: «ثلاثمائة وثمانين يناً، من فضلك».

أدخلت الأرقام على لوحة صندوق الدفع.

«ثلاثمائة وثمانون يناً».

سحب فوساغي ألفين من محفظته الجلدية البالية. وقال وهو

يسلّمها النقود: «حسناً، إليك ألفين».

قالت كازو وهي تنقر على مفاتيح صندوق الدفع «ألفين».

ظلّ فوساغي يلقي نظرات خاطفة على كوتاكي، ولكن من دون أي هدف واضح. لقد بدا وكأنه يتأمّل الأرجاء في انتظار تلقي الفكّة.

«إليك ستمئة وعشرين يناً».

مد فوساغي يده وأخذ الفكة، وقال بلهجة اعتذار: «شكراً على القهوة». وسرعان ما خرج من المقهى.

صوت صرير الباب

«شكراً لك، تعال مرة أخرى...».

عند مغادرة فوساغي المكان، ساد المقهى صمت مطبق. ولكن المرأة التي ترتدي الفستان استمرّت بقراءة كتابها بهدوء كعادتها، غير متأثّرة بما يدور حولها. ونظراً لعدم تشغيل آلة الموسيقى كالمعتاد، كانت الأصوات الوحيدة التي يمكن سماعها هي دقات الساعات الثلاث وصوت صفحات الكتاب التي تقلّبها المرأة بين الحين والآخر. كسرت كازو حاجز الصمت أولاً حين قالت، «كوتاكي...» لكنها لم تتمكّن من العثور على الكلمات المناسبة.

ابتسمت كوتاكي في وجه كازو وكي: «لا بأس، لقد كنت أستعدّ ذهنياً لهذا اليوم. لا تقلقا».

لكنها نظرت مرة أخرى إلى الأرض بعد أن أنهت كلامها. لقد سبق لها أن شرحت مرض فوساغي لكي وكازو، وقد عرف ناغاري وهيراي بذلك أيضاً. لقد استسلمت لحقيقة أنه سينساها في يوم من

الأيام، لذا، فقد حضّرت نفسـها لذلك الوقت. ثمّ فكّرت في سـرّها: «سأعتني به كوني ممرضة، فأنا ممرضة، لذا يمكنني القيام بذلك».

يتطوّر مرض الزهايمر بشكل مختلف بين كل فرد وآخر، وذلك يعتمد على مجموعة من العوامل من بينها العمر، والجنس، وسـبب المرض، وكيفية العلاج. لكن حالة فوساغي كانت تتدهور بسرعة.

لقد عانت كوتاكي من صدمة كبيرة بسبب نسيانه لها. وقد بذلت جهداً لترتيب الأفكار في رأسها، بينما كان يخيّم الجو الكئيب على المقهـى. فالتفتـت إلـى كـي، التي توجّهت إلى المطبـخ، لتظهر فوراً وهي تحمل نصف قارورة من شراب الساكي الذي يدعى أيضاً باسم سبعة أنواع من السعادة.

قالت كي وهي تضعه على الطاولة: «إنه هدية من زبون». وكانت عيناها الضاحكتان حمراوي اللون بسبب البكاء.

لقـد أدى تصـرّف كـي العفوي إلى إدخال شـعاع من الأمل إلى هذا الجو القاتم، ما خفف من التوتر القائم بين النساء الثلاث.

احتارت كوتاكي أكان عليها أن تشـرب أم لا، لكنها فكّرت أنه لا يجب عليها تفويت الفرصة. فقالت: «حسناً، سأشرب كأساً واحدة فقط...».

شعرت كوتاكي بالامتنان لها لتغيير مزاجها المعكّر. فقد سمعت أن كـي غالبـاً مـا تصرفت بعفويّـة فاجأت من حولها، لكنها لم تتوقع أبداً أن تختبر حسها المرح في لحظة كئيبة كهذه.

لطالما ذكرت هيراي موهبة كي في نشـر السـعادة حولها؛ ربما بـدت يائسـة قبـل لحظات قليلـة، لكنها الآن تنظر إلى كوتاكي بعينين

واسعتين ومشرقتين. وجدت كوتاكي أن تحديقها إلى هاتين العينين يبعث في نفسها الراحة والهدوء بشكل غريب. قالت كازو وهو تدخل إلى المطبخ: «سأرى إن كان لدينا بعض المقبلات التي تتناسب مع هذا الشراب اللذيذ».

«لماذا لا نقوم بتدفئة الساكي؟».

«لا، لا بأس».

«حسناً، سنشربه كما هو».

أزالت كي الغطاء ببراعة، وصبّت الساكي في الأكواب المصفوفة أمامها.

أطلقت كوتاكي ضحكة خافتة في الوقت الذي وضعت فيه كي الكوب أمامها، ثم قالت لها وهي تبتسم برقة: «شكراً لك».

عادت كازو وهي تحمل علبة مخلّل: «لم أتمكّن من العثور على أكثر من هذا...» وضعت طبقاً صغيراً بالإضافة إلى ثلاث شوكات صغيرة على المنضدة، ثم سكبت المخللات في الطبق.

قالت كي: «هذا لذيذ. لكن لا يمكنني أن أحتسي أكثر من كوب واحد من هذا الشراب»، ثم أحضرت علبة من عصير البرتقال من الثلاجة الموضوعة تحت المنضدة وصبت كأساً لنفسها.

لم تكن أي من النساء الثلاث معجبات بالساكي، لاسيما كي، التي لم تكن تشرب الكحول عادة. اكتسب هذا الشراب اسم «سبعة أنواع من السعادة» بسبب الادعاء بأن الذين يشربونه يحصلون على سبعة أنواع مختلفة من السعادة. فقد كان شفاف اللون، وخالياً من الصباغ، وهو من أجود أنواع الساكي. لم تلحظ الفتاتان الأخريان

ألوانه الصافية ولا رائحة الفواكه الفائحة منه. ومع ذلك فقد سار كل شيء على خير ما يرام، إذ منحهن السعادة التي وعدت به علامته التجارية.

تذكرت كوتاكي ما حدث في يومٍ صيفيٍ، عندما استنشقت الرائحة العطرة، قبل حوالي خمسة عشر عاماً، عندما زارت المقهى للمرة الأولى.

في ذلك اليوم الصيفي، أُعلن في أرجاء اليابان عن قدوم موجة حرّ شديدة، ستؤدّي إلى ارتفاع درجات الحرارة بطريقة قياسية في جميع أنحاء البلاد. وصارت المحطّات التلفزيونية تعرض يومياً، عبر قنواتها نشرات جويّة مفصّلة عن حالة الطقس غير العادية، بالإضافة إلى الإشارة إلى ظاهرة الاحتباس الحراري. كان فوساغي يومها قد أخذ إجازة من العمل، فاتفقا على التسوق معاً. ولكن ذلك اليوم كان شديد الحرارة. فدعاها فوساغي، الذي لطالما واجه درجات الحرارة المرتفعة تلك، إلى أن يلجآ لبعض الوقت إلى مكان بارد، فبحثا معاً عن مكان مناسب، مثل مقهى أو مطعم.... ولكن المشكلة لم تكن تكمن في أن كليهما فكرا بالشيء نفسه معاً، بل في أن لا مقهى من المقاهي أو المطاعم العائلية فيه أماكن شاغرة.

وبالصدفة، رأيا لوحة صغيرة لمقهى يقع في زقاق ضيق، كان اسمه فينكولي فينكولا، وهو اسم أغنية تعرفها كوتاكي، كان قد مر وقت طويل منذ أن سمعتها، لكنها تتذكر اللحن بوضوح، أما كلماتها فتدور حول تسلق بركان. جعلها التفكير في الحمم الحمراء الملتهبة، في يوم صيفي حار تشعر بأن كل ما حولها يبدو أكثر سخونة، فتلألأت

حبات العرق التي تشبه الجواهر على جبين كوتاكي. ومع ذلك، عندما فتحا الباب الخشبي الثقيل ودخلا، بدا المقهى بارداً بشكل ينعش النفس، كما أراحهما صوت رنين الجرس. وعلى الرغم من أن المقهى لم يحتوِ سوى على ثلاث طاولات وثلاثة مقاعد حول المنضدة، كانت الزبونة الوحيدة هناك امرأة ارتدت فستاناً أبيض جلست أمام المدخل. بفضل حظهما السعيد، توصلا إلى اكتشاف قيّم.

قال فوساغي: «يا لسعادتي»، واختار الطاولة القريبة من المدخل، وطلب بسرعة القهوة المثلجة من المرأة ذات العينين اللامعتين التي جلبت لهما كوبين من الماء البارد. قالت كوتاكي التي جلست على الكرسي المقابل له: «من فضلك، أنا أيضاً أريد القهوة المثلجة». ولكن فوساغي لم يشعر بالراحة حيث جلس، وفضّل الجلوس خلف المنضدة. لم يزعج هذا كوتاكي التي اعتادت على مزاجه المتقلب. وكلّ ما فكرت به هو روعة اكتشاف هذا المقهى المريح القريب من المستشفى حيث تعمل.

امتدت الأعمدة السميكة والدعامة الخشبية الضخمة على طول السقف بلونها البني اللامع مثل لون الكستناء، وعُلّقت على الجدران ثلاث ساعات كبيرة. لم تكن تعرف كوتاكي الكثير عن التحف لكنها عرفت أنها تعود إلى حقبة سابقة، كانت الجدران برونزية اللون، مصنوعة من الجصّ المزخرف، ولكنها مغطاة ببقع من الصدأ العتيق زادت المكان غموضاً، إذ من الواضح أنه تراكم عبر السنوات.

كان الوقت نهاراً في الخارج، ولكن في المقهى الخالي من

النوافذ، لم يكن للوقت أي معنى.

نشرت الإضاءة الخافتة لوناً بنياً داكناً في المقهى، ما خلق جواً مريحاً، يعيد المرء إلى الأزمنة الغابرة.

كان الجو في المقهى منعشاً للغاية، لكن لم يكن هناك ما يشير إلى وجود مكيف هواء، أما المروحة ذات الشفرات الخشبية المتدلية من السقف والتي تدور ببطء شديد كانت الآلة الوحيدة التّي تدور. فاستغربت كوتاكي برودة جو المقهى على الرغم من غياب وسائل التبريد، وحين سألت كلاً من كي وناغاري عن الموضوع، لم يقدم أي منهما إجابات مرضية، بل اكتفيا بالقول: «الجو هنا هكذا منذ افتتاح هذا المقهى».

أعجبت كوتاكي بجو المقهى، وبشخصية كي والآخرين. ولذلك بدأت تتردّد إلى المقهى بشكل منتظم في أثناء فترات استراحتها من العمل.

* * *

«في صحـ—» كانت كازو ستقول في صحتكم لكنها تراجعت، وسدّت فمها بيدها كما لو أن لسانها قد زل.

«أعتقد أن هذا ليس احتفالاً، أليس كذلك؟».

أجابت كي بكآبة: «بالله عليكم، لا داعي لأن نكون محبطات للغاية». والتفت إلى كوتاكي مبتسمةً متعاطفة معها.

رفعت كوتاكي كوبها أمام كازو: «أنا آسفة».

«لا، لا بأس».

ابتسمت كوتاكي بطريقة تدعو إلى الاطمئنان ولامس كوبها

كوب كازو، فعلا صوت إيقاع متناغم، غير متوقع ومبهج في الغرفة. احتست كوتاكي رشفة من مشروب سبعة أسباب من السعادة، فأعجبت بطعمه الحلو واللذيذ. ثم بدأت تتحدث بهدوء: «لقد مر نصف عام منذ أن بدأ يناديني باسم عائلتي... تستمر الذكريات بالتلاشي من عقله، إنها تتلاشى ببطء ومن دون توقف». ضحكت بهدوء وتابعت: «لقد كنت أستعد نفسياً لهذا، كما تعلمين».

احمرت عينا كي ببطء مرة أخرى بينما كانت تستمع.

سارعت كوتاكي إلى الإضافة، وهي تلوح بيدها مطمئنة: «لكن صدقاً، أنا لا أعترض على ذلك... يا صديقتي، فأنا ممرضة. وحتى لو انمحت هويتي كلياً من ذاكرته، فسأكون جزءاً مهماً من حياته كوني ممرضة، وسأظل بالقرب منه».

تكلمت كوتاكي بلهجة واثقة كي تُطمئن كي وكازو، ولكنها عنت ما قالته، فأظهرت شجاعة كبيرة، وشجاعتها هذه كانت حقيقية. ثم كرّرت: لا يزال بإمكاني أن أكون هناك بالقرب منه لأنني ممرضة.

حرّكت كازو كوبها، وحدّقت إليه، وبدت تعابيرها جامدة.

دمعت عينا كي مرة أخرى، فسالت دمعة على خدها.

جاء الصوت من خلف كوتاكي حين أطبقت المرأة التي ترتدي الفستان الأبيض كتابها بقوة.

استدارت كوتاكي فرأت المرأة التي ترتدي الفستان الأبيض وهي تضع الرواية على الطاولة، ثم سحبت منديلاً من حقيبتها البيضاء، ونهضت متّجهة نحو المرحاض بصمت. ولو لم يسمعن صوت إطباق الرواية، ربما ما كنّ سيلاحظن أنها تركت مكانها.

تابعت عينا كوتاكي تحرّكاتها، وألقت كي نظرة سريعة عليها، بينما احتست كازو رشفة من شراب ساكي «سبعة أسباب للسعادة» من دون أن تنظر إليها. في نهاية الأمر، كان ذلك مجرد حدث يومي عادي بالنسبة إليها.

قالت كوتاكي وهي تحدّق إلى الكرسي الفارغ الذي كانت تجلس عليه المرأة التي ترتدي الفستان الأبيض: «هذا الكرسي يدفعني إلى أن أتساءل لماذا يريد فوساغي العودة إلى الماضي؟». إنها تعلم بالطبع أن ذلك هو كرسي العودة إلى الماضي.

قبل أن يسيطر مرض الزهايمر عليه، لم يكن فوساغي من النوع الذي يؤمن بمثل هذه الحكايات. فهو كان يسخر من كوتاكي عندما كانت تذكر بشكل عرضي الأسطورة المتعلقة بقدرة المقهى على أن يعيد المرء إلى الماضي. فهو لم يؤمن يوماً بالأشباح أو بالظواهر الخارقة للطبيعة.

لكن بعد أن بدأ يفقد ذاكرته، بدأ فوساغي التائه بالتردد إلى المقهى، وانتظار المرأة التي ترتدي الفستان الأبيض لتنهض عن كرسيها. وعندما سمعت كوتاكي بذلك للمرة الأولى، وجدت صعوبة في تصديق ذلك. لكن تبدّل الشخصية يعدّ من أحد أعراض مرض الزهايمر، والآن بعد أن تطور مرض فوساغي مؤخّراً، أصبح شارد الذهن. وفي ضوء هذه التغيّرات، أدركت كوتاكي بأنه ليس من الغريب أن معتقداته قد تغيرت.

لكن لماذا أراد العودة إلى الماضي؟

شعرت كوتاكي بفضول قاتل يجتاحها. لقد سألته مرات عديدة،

لكنه ظل يكرّر الإجابة نفسها: «إنه سرّ».

أجابت كازو، وبدا أنها تمكّنت من قراءة أفكار كوتاكي: «يبدو أنه يريد أن يعطيك رسالة».

«يعطيني إياها؟».

«ماذا؟».

«رسالة؟».

«قال فوساغي إنه شيء لم يتمكّن من تقديمه لك أبداً».

صمتت كوتاكي تماماً. ثم أجابت: «فهمت...».

اجتاحت تعابير الحيرة وجه كازو، لأن ردّة فعل كوتاكي على ما أخبرتها به بدا هادئاً بشكل غير متوقع. فهل كان من الضروري ذكر ذلك؟

لكن ردّة فعل كوتاكي لم تكن لها علاقة بكازو، فالسبب الحقيقي لردّها الجاف هو أنها لم تستوعب الأمر جيداً، إذ كيف يمكن أن يكتب فوساغي لها رسالة، وهو لا يتقن فنّي القراءة والكتابة.

* * *

نشأ فوساغي فقيراً في بلدة صغيرة مهجورة. وقد عملت عائلته في تجارة الأعشاب البحرية، وقد ساعد أفراد أسرته عبر تولّيه عمل العائلة، فكان ذلك على حساب دراسته، وقد أثّر ذلك في حياته بشكل كبير، إذ إنه لم يتعلم أبداً كتابة أكثر من الهيراغانا، وما يقارب المئة حرف من الكانجي. وهذا يعادل ما يتعلمه الطفل عادةً في السنوات الأولى من دخوله المدرسة في المرحلة الابتدائية.

تعرفت كوتاكي وفوساغي إلى بعضهما من خلال صديق

مشترك. كانت كوتاكي في الحادية والعشرين من عمرها بينما كان فوساغي في السادسة والعشرين. كان هذا في زمن لم يشهد تطوّر الهواتف المحمولة، لذلك كان تواصلهما عبر الخطوط الأرضية والرسائل المكتوبة. لطالما أراد فوساغي أن يصبح مهندس زراعة ليتمكّن من العمل والعيش وسط المناظر الطبيعية. وكانت كوتاكي قد بدأت حينها دراستها في كلية التمريض، مما قلّل من فرص لقائهما، لكنهما بقيا على تواصل عبر إرسال الرسائل إلى بعضهما.

كتبت كوتاكي في رسائلها كل ما خطر في بالها، فكتبت عن نفسها، وعما يحدث معها في كلية التمريض، وعن الكتب الجيدة التي قرأتها، وأحلام المستقبل، كما كتبت عن كل الأحداث اليومية التي تراوحت بين المملة والمهمة، موضحة بالتفصيل مشاعرها وردود أفعالها. وفي بعض الأحيان وصلت رسائلها إلى حدود العشر صفحات.

من ناحية أخرى، كانت ردود فوساغي قصيرة وموجزة دائماً، حتى أنه كان يرسل إليها في بعض الأحيان ردوداً لا تتخطّى السطر، مثل شكراً على الرسالة الممتعة، أو أعرف تماماً ما الذي تقصدينه. في البداية، اعتقدت كوتاكي أنه مشغول بالعمل ولم يكن لديه الوقت للردّ على رسائلها. لكن استمرار وصول الرسالة تلو الأخرى بهذه الردود الموجزة، جعلها تعتقد أنه لم يكن مهتماً بها كثيراً. إلى أن كتبت كوتاكي في رسالتها الأخيرة أنه إذا لم يكن مهتماً بها، فلا يجب أن يكلف نفسه عناء الردّ، وأنها ستتوقف عن مراسلته إن لم تحصل على ردّ مفصّل منه.

في العادة، كان فوساغي يرسل ردّه في غضون أسبوع، ولكن هذه المرة لم يصلها ردّه حتى بعد مضي شهر، وهذا صدم كوتاكي. بالتأكيد، كانت ردوده قصيرة، لكنها لم تبدُ سلبية على الإطلاق، فهو ما كتبها من باب الالتزام، بل على العكس من ذلك، بدت صريحة وصادقة. لذلك لم تستسلم، وبقيت تنتظر شهرين ونصف بعد أن أرسلت إليه إنذارها الأخير.

ذات يوم، وبعد مرور الشهرين، وصلتها رسالة من فوساغي، وكان كل ما دوّن فيها هو: «لنتزوج».

تمكّنت هذه الكلمة من أن تحرّك في داخلها مشاعر لم تختبرها من قبل، لكنها وجدت صعوبة في الردّ بشكل مطوّل على مثل هذه الرسالة، التي فتح من خلالها فوساغي قلبه لها. في النهاية، كتبت ببساطة:

«نعم، دعنا نتزوج».

لم تعلم إلا لاحقاً أنه بالكاد استطاع القراءة أو الكتابة. وعندما اكتشفت ذلك، سألته كيف تمكّن من قراءة جميع الرسائل الطويلة التي كتبتها له. فكان الردّ أنه اكتفى بالنظر إلى الكلمات، وكتابة ردّه الغامض بالاستناد إلى الانطباع الذي كوّنه عن هذه الكلمات. لكن عندما تلقى رسالتها الأخيرة، وبعد أن ألقى نظرة عليها، غمره شعور عميق بأنه قد فوّت شيئاً مهماً. قرأها كلمة كلمة، وما لم يفهمه طلب من أشخاص مختلفين أن يوضحوا له معاني الكلمات الغامضة. ولهذا السبب استغرقه الأمر الكثير من الوقت للردّ.

بدت كوتاكي وكأنها تجد صعوبة في تصديق ذلك.

قالت كازو وهي ترسم شكل المغلف في الهواء بأصابعها: «لقد كان مغلفاً بنياً، بهذا الحجم تقريباً».

«مغلف بني؟».

استخدام مغلف بني لوضع الرسالة فيه يبدو مألوفاً لدى فوساغي، ولكن مع ذلك لم يكن الأمر منطقياً بالنسبة إلى كوتاكي.

اقترحت كي، وعيناها تلمعان ببراءة: «لعلّها رسالة حب؟».

ابتسمت كوتاكي بسخرية. وقالت وهي تلوح بيدها رافضة الفكرة: «لا، مستحيل».

قالت كازو وقد اعتلت وجهها ابتسامة ساذجة: «لكن إذا كانت رسالة حب فماذا ستفعل؟».

لم تتطفل عادةً على حياة الناس الخاصة، لكن ربما دعمت فكرة أنها كانت رسالة حب لمساعدتها على التخلص من المزاج الكئيب الذي كان يخيّم في الأجواء.

حرصت كوتاكي أيضاً على تغيير الموضوع، لذلك قبلت مرغمة نظرية رسالة الحب التي فرضتها الفتاتان اللتان جهلتا مدى ضعف فوساغي في القراءة والكتابة. فأجابت بابتسامة: «أنا أرغب في قراءتها».

لم تكن تلك كذبة، فإن كان هناك رسالة حب بالطبع ترغب في قراءتها.

قالت كي: «لماذا لا تعودين بالزمن وتكتشفين الحقيقة بنفسك؟».

نظرت كوتاكي إلى كي، وتعابير الحيرة تملأ وجهها: «ماذا؟».

استجابت كازو لفكرة كي المجنونة بوضعها كوبها على المنضدة

على عجل. وقالت وهي تقرّب وجهها من وجه كي، «أختي، جدياً؟».

أجابتها كي بحزم: «عليها أن تقرأها».

قالت كوتاكي، وهي تحاول جاهدة إبطاء سرعة الحديث: «كي، يا صديقتي، لحظة». لكن فات الأوان بالفعل.

تنفّست كي بصعوبة، ولم تكن مهتمة بجهود كوتاكي لكبح جماحها: «إذا كانت رسالة حب كتبها لك فوساغي، فعليك باستلامها!».

لقد اقتنعت كي تماماً بأنها كانت رسالة حب، وما دامت تفكر في ذلك، فلن يوقفها شيء. لقد عرفتها كوتاكي منذ فترة طويلة تكفي لإدراك ذلك.

لم تبدُ كازو مرتاحة بشكل خاصّ عند استماعها لمجرى الحديث، لكنها تنهّدت وابتسمت.

نظرت كوتاكي مرة أخرى إلى الكرسي الذي أخلته المرأة التي ترتدي الفستان الأبيض. فهي قد سمعت عن شائعة العودة إلى الماضي، وعرفت أيضاً ضرورة الالتزام بالقواعد المختلفة المحبطة لنجاح ذلك. لكنها لم تفكر أبداً، ولو لمرة واحدة، في العودة عبر الزمن. حتى أنها لم تكن متأكدة إن كانت الشائعة صحيحة. ولكن، إن كانت صحيحة، فهي تود تجربتها بالتأكيد، لأنها أرادت أكثر من أي شيء آخر أن تعرف محتوى الرسالة. وإذا كان ما قالته كازو صحيحاً، وأمكنها العودة إلى اليوم الذي خطط فيه فوساغي لإعطائها إياها، فذلك سيمنحها بصيص أمل في أنها لا تزال قادرة على قراءتها.

مع ذلك، فقد واجهتها معضلة جديدة حين علمت أن فوساغي

أراد العودة إلى الماضي ليعطيها رسالة، فهل من الصواب العودة إلى الماضي لاستلامها؟ استمرّ تأرجّح أفكارها بين العودة إلى الماضي وانتظار ما سيحمله له المستقبل. يبدو أنه من الخطأ الحصول على الرسالة بهذه الطريقة، أخذت نفساً عميقاً، وبدأت تقيّم الوضع بهدوء.

تذكّرت القاعدة القائلة إن العودة بالزمن إلى الوراء لن تغير الحاضر مهما حاولت. هذا يعني أنه وإن عادت إلى الماضي وقرأت تلك الرسالة، فلن يتغير شيء.

لقد أخبرتها كازو بصراحة، أنه لن يتغير الحاضر، ذلك عندما طلبت من كوتاكي التأكد مرة أخرى من اختيارها.

شعرت كوتاكي بحمل ثقيل فوق صدرها. إذاً، لن يحدث أي تغيير في الحاضر، ما يعني أنه حتى لو عادت إلى الماضي واستلمت الرسالة، فإن فوساغي في الوقت الحاضر، سيظل مصمماً على العودة إلى الماضي لإعطائها إيّاها.

احتست كوب شراب الساكي سبعة أسباب من السعادة، لأنه الشيء الوحيد الذي جعلها تتخذ قرارها. زفرت بعمق، وضعت كوبها على المنضدة وتمتمت لنفسها «هذا صحيح. هذا صحيح. إذا كانت رسالة الحب تلك موجّهة إلي حقاً، فكيف ستكون قراءتي لها مشكلة؟ هل يمكن أن تكون مشكلة إذا قرأتها؟».

لقد بدّد شعورها بالذنب وصفها بأنها رسالة موجّهة إليها.

أومأت كي برأسها بقوة موافقة، وشربت عصير البرتقال وهي تتنفس بحماسة، وكأنها تعبر عن تضامنها معها. ولكن لم تشرب كازو كوبها كما فعلت الأخريين، بل وضعت الكوب بهدوء على

المنضدة، وتوجّهت إلى المطبخ.

وقفت كوتاكي أمام الكرسي الذي ستسافر بواسطته عبر الزمن، ثم جلست عليه بحذر، فشعرت بالدماء تتدفق في جسدها. لقد بدت جميع كراسي المقهى وكأنها أثرية، ذات شكل أنيق بقوائم كابريول، والمقعد والظهر منسوجان بنسيج أخضر طحلبي اللون، وكأن كل ما حولها في حلة جديدة. كما لاحظت أن جميع الكراسي في حالة ممتازة كما لو أنها كانت جديدة كلياً، هذا بالإضافة إلى أن المقهى كان بأكمله نظيفاً. لقد تم افتتاح هذا المقهى في بداية حقبة الميجي، أي أنه مر عليه أكثر من مئة سنة، ومع ذلك، لم يكن على جدرانه أي أثر للعفونة.

تنهدت بإعجاب حين علمت أنه للحفاظ على المقهى بهذه الحلة الجميلة، قضى موظفوه يوميّاً الكثير من الوقت في تنظيفه. ثم التفت إلى يمينها فرأت كازو تقف أمامها، وقد اقتربت منها من دون أن تلاحظ وجودها. وقفت بهدوء شديد، وكأن شيئاً غريباً طرأ على مظهرها، كانت تحمل صينية فضية، وضعت عليها فنجان قهوة أبيض، وغلاية فضية صغيرة، بدلاً من الأبريق الزجاجي الذي تستخدمه عادة لخدمة الزبائن.

توقّف قلب كوتاكي عن الخفقان للحظة، عندما رأت كم بدت كازو مختلفة، وأن شخصية كي ذاتَ الصفات الأنثوية المعتادة، اختفت وظهرت مكانها تعابير جدية وكئيبة بشكل مخيف.

سألت كازو بنبرة ودودة ولكن جدية: «أنت على دراية بالقواعد، أليس كذلك؟».

رددت كوتاكي القواعد في ذهنها على عجل.

كانت القاعدة الأولى هي أنه عند العودة إلى الماضي، فإن الأشخاص الذين يمكن للمرء أن يلتقي بهم هم فقط أولئك الذين زاروا المقهى.

فطمأنت كوتاكي نفسها بقولها إن هذه القاعدة لا تعيق وصولي إلى هدفي، إذ زار فوساغي المقهى مرات لا تحصى.

القاعدة الثانية، مهما حاول المرء، لن يتغير الحاضر بالعودة إلى الماضي. للمرة الثانية طمأنت نفسها قائلة إن هذه القاعدة أيضاً ليست بمشكلة. ولكن ذلك لا ينطبق فقط على الرسائل، فعلى سبيل المثال، إذا تم اكتشاف علاج لمرض الزهايمر وعادت بطريقة ما إلى الماضي لتجربته على فوساغي، فلن تكون قادرة على تحسين حالته.

في النهاية بدت قاعدة قاسية.

القاعدة الثالثة، من أجل العودة إلى الماضي، يجب أن يجلس المرء على هذا الكرسي بالتحديد. ومن حسن حظّها، توجّهت المرأة التي ترتدي الفستان الأبيض إلى المرحاض في تلك اللحظة. فكانت فرصة مثالية لكوتاكي للاستفادة منها. كما أنها سمعت، -على الرغم من عدم معرفتها ما إذا كان ذلك صحيحاً- أنه إذا حاولت إبعاد المرأة التي ترتدي الفستان الأبيض بالقوة عن كرسيها، فسوف تلعنها. أكانت صدفة أم لا، شعرت كوتاكي بأنها محظوظة بالفعل.

لكن القواعد لم تنتهِ عند هذا الحدّ.

القاعدة الرابعة، عندما يعود المرء إلى الماضي، لا يمكنه النهوض عن الكرسي الذي يجلس عليه، ليس الأمر وكأنك عالق

على الكرسي، ولكن إذا نهضت عنه، فستعود حالاً إلى الحاضر. ولأن هذا المقهى يقع في قبو تحت الأرض، فلا يمكن استخدام الهاتف المحمول، وبالتالي لا فرصة للاتصال بشخص لم يجلس هناك. وأيضاً يعنى عدم القدرة على مغادرة الكرسي أنه لا يمكنك الخروج من المقهى، وهي قاعدة أخرى بغيضة.

سمعت كوتاكي أنه منذ عدة سنوات أصبح المقهى مشهوراً جداً، فجذب حشوداً من الزبائن الذين أرادوا جميعاً العودة إلى الماضي، فقالت كوتاكي لنفسها، مع كل هذه القواعد المعقّدة، لا عجب أن يتوقف الناس عن القدوم.

* * *

أدركت كوتاكي فجأة أن كازو انتظرت ردّها بصمت: «يجب أن أشرب القهوة قبل أن تبرد، أليس كذلك؟».

«نعم».

«هل هناك شيء آخر؟».

كان هناك شيء واحد آخر أرادت معرفته، كيف يمكنها التأكد من عودتها إلى اليوم والوقت المحدّدين؟

أضافت كازو وكأنها تقرأ أفكارها: «تحتاجين إلى تكوين صورة واضحة في ذهنك عن اليوم الذي تريدين العودة إليه».

كان طلبها بتكوين صورة مبهماً إلى حد ما. سألت كوتاكي: «صورة؟».

«قبل يوم من نسيان فوساغي لك. يوم فكّر بإعطائك الرسالة... ويوم أحضر فيه الرسالة معه إلى المقهى».

اليـوم الـذي كان يتذكرهـا فيـه. لقـد كان تخمينـاً صعبـاً، لكنها تذكرت يوماً صيفياً قضياه معاً قبل ثلاث سنوات. يومها لم يكن قد ظهر على فوساغي أي من أعراض مرضه.

يوم نوى تسليمها الرسالة فيه، كان هذا صعباً. كيف يمكنها أن تعرف، وهي لم تستلمها منه حتى؟ ومع ذلك، سيكون من العبث العـودة إلـى يـوم يسـبق كتابته الرسـالة. لقد قررت ببسـاطة أنه عليها تخيّل صورة فوساغي وهو يكتب لها الرسالة، واليوم الذي أحضرها معـه إلـى المقهـى. لقـد كان ذلك مهماً. حتى لـو تمكنت من العودة إلـى الوقـت المناسـب ومقابلتـه، لكن سـيصبح كل شـيء بلا معنى إن لـم يحمـل معه الرسـالة. لحسـن الحظ، كانت تـدرك أنه اعتاد أن يضع كل أغراضه المهمة في محفظته ذات السـحاب الأسـود، وأنه سـيحملها معه إذا كانت الرسـالة التي كتبها رسـالة حب، ولن يتركها ملقـاة فـي المنـزل. بـل من المؤكد أنه سـيضعها في محفظته حتى لا تراها بالصدفة.

لم تعرف اليوم الذي نوى أن يعطيها فيه الرسالة، ولكنها عرفت اليوم الذي حمل فيه حقيبته. فتشكّلت صورة لفوساغي في مخيلتها وهو يحمل حقيبته ذات السحّاب الأسود.

قالت كازو بهدوء: «هل أنت جاهزة؟».

تنفّست بعمق، وقالت: «أمهليني لحظة فقط». استرجعت الصورة في ذهنها مرة أخرى، وهتفت بهدوء: «يوم لا ينسى... رسالة... يوم أتى فيه...».

«حسناً، يكفي عبثاً».

قالت وهي تنظر مباشرة إلى عيني كازو: «أنا جاهزة».

أومأت لها كازو بخفة، ووضعت فنجان القهوة الفارغ أمام كوتاكي، والتقطت بيدها اليمنى الغلاية الفضية من الصينية بعناية. لقد كانت حركاتها التي تشبه راقصة الباليه رشيقة ومرنة.

«فقط تذكري...» توقّفت كازو للحظة، وواجهت كوتاكي بعينين حزينتين: «اشربي القهوة قبل أن تبرد».

تردّد صدى هذه الكلمات اللطيفة في المقهى الهادئ، فشعرت كوتاكي بالتوتر حين انقلب الحال في المقهى.

وفي ظلّ هذه الأجواء الجدية والهادئة، بدأت كازو بصب القهوة في الفنجان.

انسكبت القهوة السوداء من فوهة الغلاية الفضية الضيقة منسابة برقّة في الفنجان، على عكس الصوت المتدفّق الناتج عن صب القهوة من إبريق ذي فوهة واسعة، وهكذا ملأت فنجان القهوة الأبيض بصمت وببطء شديدين.

لم يسبق لكوتاكي أن رأت مثل هذه الغلاية، فقد كانت أصغر قليلاً من تلك التي رأتها في باقي المقاهي، ولكنها بدت متينة، وأنيقة ومصقولة جيداً. فكّرت بينها وبين نفسها، لعلّ طعم هذه القهوة مميز أيضاً.

بينما عبرت هذه الأفكار في ذهنها، ارتفع خيط رفيع من البخار أمامها من الفنجان الذي أصبح ممتلئاً الآن. في تلك اللحظة، بدأ كل شيء حول كوتاكي بالتموج واللمعان. أصبح مجال رؤيتها بالكامل سريالياً فجأة. تذكرت كوب سبعة أسباب من السعادة الذي شربته

مؤخراً. ربما كانت تشعر بآثاره؟

لا، لقد كان هذا شعوراً مختلفاً تماماً. ما اختبرته كان أكثر مدعاة للقلق. بدأ جسدها أيضاً في التموج واللمعان. لقد امتزجت مع البخار المتصاعد من القهوة. بدا الأمر كما لو أن كل شيء من حولها بدأ ينهار.

أغمضت كوتاكي عينيها، ليس خوفاً، بل لكي تركز أكثر، فإن كانت تسافر الآن حقاً عبر الزمن، فهي تريد أن تحضّر نفسها عقلياً.

* * *

في المرة الأولى التي لاحظت فيها كوتاكي تغييراً في فوساغي، كان ذلك في اليوم الذي اعترف فيه بصوت عالٍ بما حدث معه. كانت كوتاكي حينها تعد طعام العشاء في أثناء انتظار عودته إلى المنزل. لا يقتصر عمل البستنة على تقليم الفروع ونزع الأوراق، بل على البستاني أن يخلق توازناً بين المنزل والحديقة. ولا يمكن أن تكون الحديقة ملونة ألواناً مختلفة مبالغاً فيها، كما لا يمكن أن تكون بسيطة جداً، «يتمحور الأمر كله حول خلق التوازن»، هذا ما كان يقوله فوساغي دائماً. فهو يبدأ يوم عمله مبكراً وينتهي عند الغسق. في العادة، يعود فوساغي مباشرة إلى المنزل ما لم يكن لديه عمل مهم. لذلك اعتادت كوتاكي انتظاره كي يأكلا معاً عندما لا تعمل في وردية المساء.

حلّ الليل، ولم يعد فوساغي بعد إلى المنزل. كان هذا سلوكاً غير عادي، لكن افترضت كوتاكي أنه خرج لاحتساء الشراب مع زملائه.

أخيراً، عاد إلى المنزل متأخراً ساعتين عن موعده المحدد. في العادة عندما يعود يرن جرس الباب ثلاث مرات لكن تلك الليلة، لم يرن الجرس. وبدلاً من ذلك، سمعت كوتاكي صوت مقبض الباب وهو يدور وصوت فوساغي في الخارج يقول: «هذا أنا».

هرعت عند سماع صوته، وفتحت الباب مذعورة. اعتقدت أنه قد جرح نفسه ما منعه من قرع جرس الباب. لكنه وقف أمامها سليماً وبمظهره الاعتيادي: يرتدي رداء البستنة الرمادي وسروالاً أزرق داكناً، ويضع حقيبة الأدوات الخاصة به على كتفه، نظر إلى وجهها وهو يشعر بالخجل قليلاً، ثم قال: «لقد تهت».

حدث هذا قبل عامين في نهاية الصيف.

بما أنها ممرضة، فقد تدربت على تمييز الأعراض المبكرة لمجموعة كبيرة من الأمراض. كانت متأكّدة من أن ذلك أكثر من مجرد نسيان شيء ما، فبعد فترة وجيزة، بدأ بنسيان ما إذا كان قد قام بعمله أم لا. وبعد أن تقدم المرض أكثر، صار يستيقظ في الليل ويصيح بصوت عالٍ: «لقد نسيت أن أفعل شيئاً مهماً»، فلم تعد تجادله عندما وصل إلى هذه المرحلة المتقدّمة من المرض، بل كانت تعمل على تهدئته وطمأنته بأنه يمكنهما التحقق من الأمر في الصباح.

حتى أنها استشارت طبيباً من دون علمه، وحرصت على تجربة أي شيء من شأنه أن يبطئ من تقدّم مرضه ولو قليلاً.

لكن مع مرور الأيام، بدأ ينسى أكثر فأكثر. فهو لطالما أحب السفر، لزيارة الحدائق في أماكن مختلفة. كما اعتادت كوتاكي أن

تأخذ إجازتها في يوم إجازة زوجها حتى يتمكنا من تمضية يومهما معاً. ثم يتراجع ويقول إن عليه الذهاب إلى العمل، لكن هذا لم يزعجها يوماً. كما كان يجعّد جبينه دائماً أثناء قيامهما بالرحلات، لكنها كانت تعرف أنه يعقد حاجبيه عندما يقوم بما يحبه.

لم يتوقف عن السفر، حتى مع تقدم مرضه، لكنه بدأ يزور المكان نفسه مراراً وتكراراً. بعد فترة، صار المرض يؤثر في حياتهما اليومية، إذ غالباً ما كان ينسى ما إن اشترى أغراض المنزل أم لا. وفي كثير من الأحيان، يسألها: «من اشترى هذا؟». ثم يخيّم عليهما الضيق والاستياء. استقرا في الشقة التي انتقلا إليها بعد الزواج، لكنه بدأ ينسى طريق العودة إلى المنزل وكثيراً ما كانت تتلقى مكالمات من رجال الشرطة لاستلامه. ومنذ ستة أشهر، بدأ يناديها باسمها الأصلي قبل الزواج، كوتاكي.

أخيراً، تلاشى إحساسها بالدوار المتموج والمتلألئ. فتحت كوتاكي عينيها. رأت مروحة السقف التي تدور ببطء...يديها، وقدميها. لم تعد مجرّد بخار.

ومع ذلك، لم تعرف إن عادت بالفعل إلى الماضي، إذ لا يوجد داخل المقهى نوافذ، وكانت الإضاءة فيه خافتة دائماً. والساعات الثلاث المثبتة على الحائط تظهر أوقاتاً مختلفة كلياً. وما لم يتحقق المرء من ساعة يده، لا طريقة أخرى لمعرفة حلول النهار من الليل.

لكن شيئاً ما كان مختلفاً، فقد اختفت كازو، وكذلك كي، فحاولت كوتاكي تهدئة نفسها، لكنها لم تتمكّن من السيطرة على

دقات قلبها المتسارعة، ثم نظرت مرة أخرى في أرجاء المقهى.

تمتمت: «لا يوجد أحد هنا».

شـكّل غياب فوسـاغي، الذي عادت من أجله، خيبة أمل كبيرة لها.

نظرت إلى مروحة السـقف، وهي في حالة من الذهول، تفكر بمحنتها.

لقد كان أمراً مؤسفاً، لكن ربما هذا أفضل. في الواقع، شعرت بالارتياح لعدّة أسباب. بالطبع، أرادت قراءة الرسالة. لكنها لم تستطع مقاومة الشـعور بالذنب، لأنه إن جاز التعبير كانت تتسـلل لاسـتراق نظرة على الرسـالة، ومن المؤكد أن فوسـاغي كان سـيغضب لو علم أنها أتت من المستقبل لتقرأ ما كتبه لها.

أياً يكن الأمر ما من شـيء سـتفعله يمكن أن يغير الحاضر. لم يكـن ضرورياً قرأتهـا وإن لم تقرأها لا مشـكلة. أمـا إن كانت حالته ستتحسـن بقراءتها للرسـالة، فستفعل ذلك بالطبع. ستضحي بحياتها فـي سـبيل ذلـك. لكن لا علاقة للرسـالة بحالته. لـن تتغير حقيقة أنه نسيها تماماً.

فكّـرت بمحنتهـا بعقلانيـة وهدوء. قبل قليل صدمها سـؤاله إن سـبق لهمـا أن التقيـا. لقـد أزعجها ذلك حقـاً. لطالما علمت أن هذا الوقت سيأتي، لكنه شكل صدمة كبيرة وهذا ما أوصل بها إلى هنا. بدأت تستعيد اتزانها.

إذا كان هـذا هـو الماضـي، فـلا فائدة منـه، ويجب أن أعود إلى الحاضر، حتى لو كنت مجرّد شـخص غريب بالنسـبة إلى فوسـاغي،

يمكنني أن أكون ممرضته. يجب أن أفعل ما بوسعي استجابة لرغبة قلبي.

تمتمت وهي تمدّ يدها لتتناول فنجان القهوة: «أشكّ في أنها رسالة حب».

صوت جرس الباب

دخل شخص ما إلى المقهى، ولدخول هذا المقهى، يتعيّن على المرء أن ينزل السلالم عبر الطابق الأرضي ومن ثم يدخل من خلال باب خشبي كبير وصلب يبلغ ارتفاعه حوالى مترين، وعندما يفتح هذا الباب يُسمع صوت رنين الجرس، لكن لا يظهر وجه الزوار على الفور عند دخولهم من الباب، إذ يتعين عليهم قطع مسافة قصيرة بعد أن يرن الجرس، إذ يكون هناك فاصل زمني يستمرّ بضع ثوان قبل أن يخطو الزائر تلك الخطوة أو الخطوتين ليصل إلى المقهى.

لذلك عندما رن الجرس، لم يكن لدى كوتاكي فكرة عن هوية الشخص الذي دخل. فهل كان ناغاري؟ أو كي؟ لاحظت كم بدت متوترة، ونبضات قلبها تتسارع من شدة الإثارة. لم يكن هذا حدثاً عادياً. على وجه الدقة، إنها تجربة تخوضها لمرة واحدة في العمر. إن كانت تلك كي، فلعلّها ستسألني عن السبب. وإذا كانت كازو، فمن المحتمل أن يخيب أملها.

مرت سيناريوهات مختلفة في ذهن كوتاكي. لكن الشخص الذي ظهر لم يكن كي ولا كازو، بل كان فوساغي.

قالت كوتاكي: «أوه...» فقد فاجأها ظهوره المفاجئ، على

الرغم من أنها عادت لرؤيته، لكنها لم تتوقع رؤيته مرتدياً قميص بولو كحلي اللون، وبنطالاً قصيراً يصل إلى الركبتين. لأنه غالباً ما كان يرتدي هذا النوع من الملابس في أيام إجازته، فلا بد أن الجو حار في الخارج، حيث كان يستعمل محفظته السوداء بمثابة هواية.

جلست من دون حراك على كرسيها. ووقف عند المدخل لفترة، يحدّق إليها بنظرات غريبة.

بادرت بالقول: «مرحباً».

شعرت بالضياع، ولم تعرف كيف ستفاتحه بالموضوع الذي جعلها تسافر عبر الزمن من أجله، لم يسبق له أن حدّق إليها بهذه الطريقة، على الأقل منذ أن تزوجا، فقد كان ذلك ممتعاً ومحرجاً في آن واحد.

تشكّلت صورة ضبابية في ذهنها، تعود لثلاث سنوات، لكنها لم تعرف كيف يمكنها التأكّد من ذلك. ربما لم تتخيل الأمر بشكل صحيح، وإن كان الأمر كذلك، فما الذي يجب عليها أن تقوله، هل حصل خطأ، وعادت في الزمن إلى ثلاثة أيام بدلاً من ثلاث سنوات، لكن هل عادت في الزمن ثلاثة أيام فقط؟ عندما بدأت تعتقد أن الأمور أصبحت غامضة للغاية...

قال فوساغي بشكل مفاجئ: «مرحباً، لم أتوقع أن أراك هنا».

بدا سليماً، وكأن المرض لم يدنُ منه، بدا كما تصوّرته، وهذا يعني أنه تذكّرها.

وأضاف: «انتظرتك، لكنك لم تعودي إلى المنزل».

أشاح بنظره بعيداً. وعندما كحّ تجعّد جبينه، كما لو أن شيئاً ما

قد أقلقه.

قالت: «هل هذا أنت؟».

«ماذا؟».

«هل تعرف من أكون؟».

نظر إليها، وقال مستفسراً: «ماذا؟».

لم تكن تمزح فكل ما أرادته هو أن تتأكّد، فقد بدا جلياً أن الزمن قد عاد بها إلى الماضي، ولكن إلى أي تاريخ؟ قبل أو بعد بداية مرض الزهايمر؟

قالت: « قل اسمي فحسب».

أجابها: «هل ستتوقفين عن العبث معي؟».

ابتسمت مرتاحة، على الرغم من أنه لم يجب عن سؤالها. قالت وهي تهز رأسها قليلاً: «لا، لا بأس».

من خلال هذا الحوار القصير، عرفت ما أرادت معرفته، لقد عاد بها الزمن حقاً إلى الماضي، والرجل الذي يقف أمامها هو فوساغي الذي لم يفقد ذاكرته، وإن نجحت الصورة التي رسمتها في ذهنها، فهذا يعني أنها عادت عبر الزمن إلى ثلاث سنوات خلت، فابتسمت كوتاكي وهي تحرّك قهوتها بلا وعيٍ.

لاحظ فوساغي سلوكها الغريب، وقال وهو يجول بناظريه في أرجاء المقهى الذي لاحظ خلوّه من أي شخص آخر: «تصرفاتك غريبة بعض الشيء اليوم».

صاح باتجاه المطبخ: «ناغاري، هل أنت هنا؟».

لم يُجبه أحد، فتوجّه نحو المنضدة مصدراً صندله صوتاً اخترق

الصّمت المخيّم في المقهى، ونظر إلى الغرفة الخلفية، لكن أحداً لم يكن هناك.

قال متذمّراً: «هذا غريب. ما من أحد هنا». ثم جلس على كرسي خلف المنضدة بعيداً عن كوتاكي.

كحّت عمداً لجذب انتباهه، فنظر إليها باستياء.

«ماذا هناك؟».

«لماذا تجلس بعيداً؟».

«لم لا؟ ما الذي يمنعني من ذلك؟».

«لماذا لا تأتي، وتجلس بجواري؟».

نقرت على الطاولة بأصابعها لتحثّه على الجلوس على الكرسي الفارغ المواجه لها، لكن الفكرة لم تعجبه.

أجابها: «لا، أنا بخير».

«الآن... لم لا؟».

قال فوساغي بصوت متقطع: «زوجان ناضجان يجلسان معاً هكذا...لا». ازداد تجعّد جبينه عمقاً، إذ بدا رافضاً للفكرة بشكل مطلق، ولكن تجعّد جبينه لم يكن ينم عن استيائه، بل كان دليلاً على حالته المزاجية الجيدة.

فهي تعرف أنه لا يتجعد جبينه إلا عندما يسعى إلى إخفاء ارتباكه، فوافقته الرأي مبتسمة: «صحيح نحن متزوجان». وبدت سعيدة لأنها سمعته يقول هذه الجملة.

«بالله عليك... لا تصبحي عاطفية إلى هذا الحدّ...».

كل ما قاله، تسبّب باستعادتها موجات الحب والحنين...

والسعادة، فارتشفت القهوة وهي شاردة الذهن.

عندما أدركت أن قهوتها بدأت تبرد، قالت بصوت عالٍ: «يا إلهي». لقد اتضح لها فجأة ضيق الوقت المتاح لها في الماضي. وبناء عليه يجب أن تنهي ما أتت من أجله قبل أن تبرد القهوة.

«اسمع، هناك شيء أريد أن أسألك عنه».

«ماذا؟ ما هو؟».

«هل هناك شيء... أي شيء تريد أن تسلمني إياه؟».

بدأت دقات قلب كوتاكي تتسارع، ففوساغي كان قد كتب الرسالة قبل ظهور أعراض مرضه، ربما كانت رسالة حب، لكنها استدركت قائلة: أن هذا مستحيل.

ولكن، إن كتب لها رسالة، فهي ترغب في قراءتها، خصوصاً وأنها تدرك تماماً أن قراءتها لن تغيّر الحاضر.

«ماذا؟».

«شيء بهذا الحجم...».

رسمت حجم المغلف في الهواء باستخدام أصابعها.

تماماً كما وصفته لها كازو، ولكن طلبها المباشر رسم ملامح الذعر على وجهه، فحدّق إليها واجماً. فقالت لنفسها بعد رؤية تعبيره، لقد أفسدت كل شيء، إذ تذكرت أن شيئاً مشابهاً قد حدث بعد فترة وجيزة من زواجهما.

كان فوساغي قد أحضر لها هدية بمناسبة عيد ميلادها، فرأتها عن طريق المصادفة بين أغراضه في اليوم الذي سبق عيد ميلادها. فهو لم يسبق له أن جلب لها هدية، فغمرتها السعادة لأنها ستتلقى

منه هدية للمرة الأولى. عندما عاد من عمله إلى المنزل يوم عيد ميلادها، كانت في غاية الحماسة لدرجة أنها سألته: «ألم تحضر لي شيئاً مميزاً اليوم؟». لكنه صمت عندما سمع سؤالها، وأجاب: «لا، لا شيء محدّد». في اليوم التالي، وجدت هديتها مرمية في سلة المهملات، وكانت عبارة عن منديل أرجواني.

شعرت أنها كرّرت الخطأ نفسه، فلطالما كره فوساغي أن يُطلب منه فعل ما نوى أن يفعله بنفسه. فخشيت الآن ألا يعطيها الرسالة التي كان يحملها، لاسيما إن كانت رسالة حب. فندمت على تسرّعها، على الرغم من أن عنصر الوقت كان مهماً في هذه المرحلة، إلا أنها ابتسمت له، ولأن ملامح القلق لم تبارح وجهه، قالت بمرح:

«أنا آسفة للغاية، لم أقصد سوءاً، من فضلك إنس الأمر». ثم للتأكيد على أن الأمر لا يهمها في كلتا الحالتين، حاولت إجراء محادثة قصيرة. «اسمع، لدي فكرة، لماذا لا نأكل السوكي ياكي الليلة؟».

كان طبقه المفضل، وكان كفيلاً برفع معنوياته، والتخفيف من توتّره واضطرابه.

مدّت يدها ببطء إلى الفنجان، وحاولت تقدير درجة حرارته، فتبيّن لها أنها لا تزال فاترة، وهذا يعني أن وقتها لم ينفد بعد، ولأنّها تقدّر هذه اللحظات الثمينة معه، أرادت نسيان أمر الرسالة في الوقت الراهن. إذ بناءً على ردّ فعله، من المؤكد أنه كتب لها شيئاً ما، ولو لم يفعل، لكان أجاب بعبارات غامضة: «بالله عليك ما الذي تتحدّثين

عنه؟». وإذا سمحت للوضع الحالي بالتدهور، فسيرمي هذه الرسالة بعيداً. لذا، قررت تغيير استراتيجيتها، لمحاولة تغيير مزاجه حتى لا يتكرّر ما حدث في عيد ميلادها.

نظرت إليه، فكانت لا تزال ملامح الجدية بادية على وجهه، ولكن لطالما كانت تعابيره هكذا، ومن الواضح أنّه لم يردها أن تعتقد أنه ما إن يسمع اسم طبقه المفضّل سوكي ياكي سيتحسّن مزاجه على الفور، إذ لم يكن الأمر بهذه البساطة، فهذا طبع فوساغي قبل مرض الزهايمر، ولكن حتى رؤية وجهه العابس لا تقدّر بثمن بالنسبة إليها، وها هي تشعر وكأنها في النعيم وهي تجلس معه مرة أخرى، ولكنها أخطأت بقراءة الموقف، إذ قال لها وقد بدت نظرته متجهّمة: «فهمت، أنا أعرف ما يحدث»، نهض ووقف أمامها ليغادر.

سألته وهي تنظر إليه: «ما الذي تقصده؟». بدا مظهره مهيباً وهو ينظر إليها بغضب، فهي لم يسبق لها أن رأته على هذا النحو: «ماذا دهاك؟».

«أنتِ من المستقبل... أليس كذلك؟».

«ماذا؟».

بدا لها ما قاله غير متوقّع، لكنه كان محقاً، فقد أتت من المستقبل.

«اسمع...» حاولت تذكّر إن كانت هناك أي قاعدة تمنع من يعود بالزمن إلى الوراء من الكشف عن أنه من المستقبل. لكن ما من شيء من هذا القبيل.

«اسمع، يمكنني أن أشرح...».

«شككت منذ أن رأيتك تجلسين على ذلك الكرسي».

«نعم... حسناً».

«هذا يعني أنك تعرفين بشأن مرضي».

عادت دقات قلب كوتاكي تتسارع مجدداً، إذ ظنّت أنها عادت إلى زمن يسبق بداية مرضه، لكنها كانت مخطئة ففوساغي الواقف أمامها يعلم بمرضه.

ما إن نظرت إلى ملابسه، أدركت أنه كان فصل الصيف، أي أنها عادت إلى صيف عامين مضيا، وهو الوقت الذي بدأ يضلّ فيه طريقه، وعندما بدأت تلحظ أولى علامات مرضه. ولكن لو عادت بالزمن عاماً واحداً بعد، لأخذت محادثتهما منحاً مختلفاً تماماً.

وبدلاً من العودة ثلاث سنوات، عادت إلى اليوم الذي استوفى المعايير في مخيلتها: يوم تذكّرها فيه فوساغي... يوم كان يفكّر في إعطائها الرسالة... ويوم أحضر الرسالة معه إلى المقهى. ولو عادت ثلاث سنوات إلى الوراء لعنى ذلك أن الرسالة لم تكتب بعد.

كان يعلم فوساغي الواقف أمامها أنه مريض، لذلك كان من المحتمل أن محتوى الرسالة يتعلّق بمرضه، بالإضافة إلى ذلك، فإن الطريقة التي استجاب بها بشأن موضوع الرسالة أكّدت شكوكها.

سألها بحزم: «أنت تعرفين، أليس كذلك؟». وأصرّ عليها كي تجيب، لم يكن بإمكانها الكذب في تلك المرحلة. لذا، اكتفت بالصمت، وأومأت له برأسها.

تمتم: «فهمت».

استعادت رباطة جأشها. حسناً، بغض النظر عما أفعله هنا فلن

يتغيّر الحاضر، لكن قد يزعجه هذا... لم أكن لأعود إلى الماضي لو اعتقدت أن ذلك سيحدث. إنه لمن المحرج أنني لم أنظر إليها أكثر من رسالة حب.

غمرها شعور عميق بالندم لعودتها بالزمن إلى الماضي، ولكن الوقت الآن ليس مناسباً للندم. صمتا كلياً.

ثم نادت فوساغي الذي بدا يائساً: «حبيبي؟». لم يسبق لها أن رأته كئيباً إلى هذا الحد أبداً، كان ذلك يؤلمها للغاية. فجأة، أدار لها ظهره، وعاد نحو المنضدة حيث كان يجلس، فالتقط حقيبته السوداء، وأخرج منها مغلفاً بني اللون، وعاد إليها، وقد انمحت عن وجهه علامات البؤس واليأس، وظهرت مكانها ملامح الإحراج.

بدأ يتمتم بصوت منخفض يصعب سماعه: «أنت التي تعيشين في هذا الوقت لا تدرين بأمر مرضي... »

قد يكون هذا انطباعه، لكنني أعلم بمرضه، أو سأعلم بذلك قريباً جداً.

«أنا فقط لا أعرف كيف يمكنني إخبارك...».

رفع المغلف البني ليريها إياه، كان يخطّط لإخبارها بأنه مصاب بمرض الزهايمر في هذه الرسالة.

لكنني لست بحاجة إلى قراءتها... أنا أعلم بمرضه مسبقاً، ولكن سيكون من المنطقي إعطاء الرسالة في الماضي إلى الـ«أنا» التي لا يستطيع فوساغي الاعتراف إليها... وأعتقد أنه إذا عجز عن إعطاء الرسالة إلى هذه النسخة مني، فلا بأس إن أخذتها. هذه هي الطريقة التي تسير بها الأمور.

في تلك اللحظة، قررت المغادرة، وترك الأمور على ما هي عليه، لم ترغب في طرح موضوع مرضه، ولم يخطر في أسوأ احتمالاتها أن يسأل عن حالته في الوقت الحاضر، وإذا سأل كيف تطورت حالته في الحاضر، فمن يدري كيف سيكون ردّ فعله عند سماع الأخبار المروّعة. يجب عليها العودة قبل أن يسأل. لقد حان الآن وقت العودة إلى الحاضر...

كانت القهوة فاترة وهذا يعني أن باستطاعتها شربها دفعة واحدة.

قالت: «لا أستطيع ترك القهوة تبرد»، وقرّبت الفنجان من شفتيها.

تمتم فوساغي ناظراً إلى الأسفل: «إذاً سأنسى؟ سأنساك؟».

ارتبكت عندما سمعت ما قاله، لم تعد تدري سبب وجود فنجان قهوة أمامها.

نظرت إليه بخوف بعد أن لاحظت الحزن العميق الذي اكتنف تعابيره، وهي تحدّق إلى وجهه.. لم تتخيّل أنه قد يبدو يائساً إلى هذا الحدّ. لم تعرف ما تقول، ولم تستطع مواصلة النظر إلى عينيه، فنظرت إلى الأرض.

عبر التزامها الصمت، أجابت عن سؤاله.

تمتم بحزن: «فهمت، هذا ما كنت أخشاه». أخفض رأسه بقوّة حتى بدا لها أن رقبته كادت تنكسر.

اغرورقت عيناها بالدموع، حين تذكرّت لحظة تشخيص إصابته بمرض الزهايمر، وما عاناه من الخوف، والقلق من فقدان ذاكرته. ومع ذلك، لم تعرف زوجته ما عليها فعله لجعله يتغلّب على هذه الأفكار والمشاعر المضطربة وحده. عندما علم أنها أتت من

المستقبل، أول ما أراد معرفته هو إن كان قد نسي زوجته، وبعد أن اكتشفت ذلك، أصبحت مفعمة بالفرح والحزن في الوقت نفسه.

استجمعت قواها، ونظرت إلى وجهه من دون أن تمسح دموعها، وابتسمت له حتى تتظاهر بأن دموعها دموع فرح.

«في الواقع، مرضك قابل للتحسن، كما تعلم».

(بصفتي ممرضة، حان الوقت الآن لكي أكون قوية).

«في الواقع، أخبرتني في المستقبل».

(يمكنني قول أي شيء من دون تغيير الحاضر).

«كيف كنت تعاني من القلق...».

(ما الضرر من الكذب؟ إن كان بإمكاني تخفيف ألمه، وإن للحظة واحدة فقط، فالأمر يستحقّ المحاولة...)

لقد أرادته أن يصدّق كذبتها، وكانت مستعدة لأن تقوم بأي شيء ليصدّقها. تلعثمت، وانهمرت الدموع على وجهها. لكنها تابعت كلامها، وحافظت على ابتسامتها المبهجة.

«سيكون كل شيء على ما يرام».

(سيكون كل شيء على ما يرام!)

«ستشفى»

(ستشفى... حقاً!)

نطقت كل كلمة بعد أن استجمعت قواها بكل ما أوتيت من قوة.

فكرت أن ما تقوله ليس كذباً. حتى لو نسي من تكون... حتى وإن لم يكن بيدها تغيير الحاضر. نظر إلى عينيها مباشرة وبادلته النظرة، وانهمرت الدموع من عينيها وغطت وجهها.

سألها بصوت خافت ولكن بدا سعيداً: «حقاً؟».

أجابته: «نعم».

نظر إليها نظرات يغمرها الحب والودّ.

اقترب منها ببطء، وهو يحدّق إلى المغلف البني الذي كان يحمله في يده، اقتربا من بعضهما بما فيه الكفاية ليتمكّن من إعطائها المغلف.

خاطبها قائلاً: «خذي». قدّم لها المغلف البني الذي حمله بين يديه كطفل خجول.

حاولت إبعاد الرسالة، وقالت: «لكنك تحسّنت».

أجابها: «حسناً، يمكنك التخلّص منها»، ودفع بالرسالة نحوها بحزم أكبر. لقد بدت لهجته مختلفة عن شخصيته الفظة المعتادة، إذ تحدث بلطف إلى حدّ أن كوتاكي شكّت بحدوث شيء ما. أصرّ عليها مرة أخرى لتأخذ المغلف البني. مدّت يديها المرتعشتين، وأمسكته بتردّد، إذ لم تكن متأكدة من نواياه.

قال مذكراً كوتاكي بالقواعد: «اشربي، قهوتك قبل أن تبرد». بدت ابتسامته في غاية اللطف.

أومأت له برأسها، مع انتهاء حديثهما، مدّت يدها نحو فنجان القهوة.

أدار فوساغي ظهره، ما إن أمسكت بفنجان القهوة. كان الأمر كما لو أن وقتهما كزوجين قد وصل إلى نهايته، وبدأت عيناها تغرورقان بالدّموع.

صرخت باكية من دون تفكير، «حبيبي». لم يستدر، وبدا أن

كتفيه كانتا ترتجفان قليلاً. شـربت القهوة دفعة واحدة، وهي تحدّق إلى ظهر فوسـاغي، أنهت فنجانها برشـفة واحدة، ليس لأنه توجب عليها شـرب فنجان القهوة بأكمله حالاً، ولكن تلبية لرغبة فوسـاغي الذي أدار لها ظهره مرغماً ليضمن عودتها بسرعة وأمان إلى الحاضر. كم كان لطفه طاغياً!.

«يا عزيزي».

غمرهـا إحسـاس بالتمـوج، ما إن أعادت الفنجـان إلى صحنه، وأرجعت يدها التي بدا أنها تذوب في البخار. لم يعد لدي ما أفعله الآن سوى العودة إلى الحاضر، فقد انتهت هذه اللحظة العابرة، بعد أن تحدثا معاً مرة أخيرة كزوج وزوجة.

استدار فجأة، - ربما كردّ فعل عفوي عند سماع صوت ملامسة الفنجـان الصحـن. لـم تعرف كيف أمكنه رؤيتها، لكنه بدا قادراً على رؤيتهـا وهـي تتحـوّل بخـاراً، وكانـت شـفتاه تتحركان قليـلاً، وهي تتلاشى وتشتّت مع البخار.

ما لم تكن مخطئة، بدا أنه قال: «شكراً».

امتزجـت مـع البخـار، وبـدأت فـي الانتقـال مـن الماضي إلى الحاضر، وبدأ المقهى يتقدم بالزمن بسـرعة من حولها. لم تسـتطع وقف تدفّق دموعها، وبلمح البصر، كازو وكي عاودتا الظهور أمامها. لقـد عـادت إلـى الحاضر، إلى اليوم الذي نسـيها فيه بالكامل. كانت نظرة واحدة إلى تعابير وجهها كفيلة ببث القلق في وجه كي.

سألت: «الرسالة؟». الرسالة، ليست رسالة حب.

حدّقـت إلـى المغلـف الذي أعطاها إياه فوسـاغي في الماضي،

وببطء، سحبتها من المغلف.

كُتبت الرسالة بخط بسيط ومتعرّج يشبه الديدان الزاحفة. لقد كان ذلك بالتأكيد خط يدّ فوساغي. عندما قرأت كوتاكي الرسالة، رفعت يدها اليمنى، وغطت فمها لتمنع نفسها من الصراخ وقد تساقطت دموعها بغزارة.

اغرورقت عيناها فجأة بالدموع مما جعل كازو تشعر بالقلق. سألت: «كوتاكي... هل أنت بخير؟».

ارتجف كتفا كوتاكي، وبدأت تدريجياً بالبكاء، وعلا صوت نحيبها. فوقفت كازو وكي تنظران إليها، غير متأكّدتين مما يجب القيام به، وبعد قليل من الوقت، أعطت الرسالة إلى كازو.

تناولت كازو الرسالة، وكأنها تنتظر إذنها لقراءتها، حدّقت إلى كي التي وقفت خلف المنضدة، وقد أومأت لها برأسها وتعابير الحيرة والقلق بادية على وجهها.

نظرت كازو إلى كوتاكي بعينيها الدامعتين، ثم بدأت تقرأ الرسالة بصوت عالٍ.

أنت ممرضة، لذا، يمكنني أن أفترض أنك لاحظت ما يصيبني، فأنا أعاني من مرض يجعلني أنسى الأشياء.

وأتصور أنني سأستمر في فقدان ذاكرتي تدريجياً، ولكنك ستكونين قادرة على السيطرة على مشاعرك، وستعتنين بي كونك ممرضة مخلصة، وأنت ستفعلين ذلك على الرغم من كل ما سأرتكبه من تصرفات غريبة. وحتى لو نسيت من تكونين.

لذلـك أطلـب منك أن تتذكري شـيئاً واحداً، أنت زوجتي، وإذا أصبحت الحياة صعبة عليك كزوجة، أريدك أن تتركيني.

ليس عليك البقاء بجانبي كممرضة، فإذا لم أكن زوجاً صالحاً، أريـدك أن تتركينـي. كل مـا أطلبه هو أن تقدّمي ما تسـتطيعين تقديمه كزوجـة. فنحـن زوجان متحابّان، وحتـى لو فقدت ذاكرتي بالكامل، أريـد أن نبقـى معـاً كزوجيـن، إذ لا يمكنني تحمّـل فكرة بقائك معي بدافع الشفقة.

كتبـت لـك هـذه الرسـالة لأنني أعجز عن التعبير عن مشـاعري لك وجهاً لوجه.

عندمـا أنهـت كازو القـراءة، نظرت كوتاكي وكي إلى السـقف، وأجهشـتا بالبـكاء. لقـد فهمـت كوتاكي سـبب إعطاء فوسـاغي هذه الرسـالة لزوجتـه التـي جـاءت مـن المسـتقبل، إذ كان واضحـاً مـن مضمون الرسـالة أنه خمّن ما سـتفعله بعد أن علمت بمرضه. وبعد ذلك، عندما جاءت من المستقبل، توضّح كل شيء بالنسبة إليه. وكما توقع، اختارت العناية به بوصفها ممرضة في المستقبل.

وسـط قلقه وخوفه من فقدان ذاكرته، كان يأمل أن تظل زوجته في قلبه.

هناك مزيد من الأدلة التي تشير إلى أنه شعر بالاكتفاء من خلال مطالعـة مجـلات السـفر، وتدوين بعض الملاحظـات في دفتره. لقد نظرت مرة إلى ما دوّنه، فهو كان يسـجّل الوجهات التي سـافر إليها لزيارة الحدائق، وقد افترضت حينها أنه كان يدوّن الأماكن التي زارها

كي لا ينسى ذكريات عمله كبستاني، لكنها كانت مخطئة، إذ كانت الوجهات التي دوّنها هي الأماكن التي زارها معها، لكنها لم تلحظ ذلك حينها، ولم تستطع الرؤية بوضوح. كانت هذه الملاحظات هي آخر العلامات التي تركها فوساغي لنفسه قبل أن يفقد ذاكرته كلياً.

بالطبع، لم تشعر أن اعتناءها به بصفتها ممرضة خطأ، بل اعتقدت أنه كان أفضل ما يمكن أن تقوم به في حياتها، ولم يكتب فوساغي الرسالة لإلقاء اللوم عليها بأي شكل من الأشكال، كما بدا أنه اعتبر أن حديثها عن شفائه كان كذبة، لكنه أراد أن يصدقها، وإلا لما قال لها، «شكراً».

بعد أن توقفت عن البكاء، عادت المرأة التي ترتدي الفستان الأبيض من المرحاض، ووقفت أمامها وقالت كلمة واحدة بصوت منخفض: «ابتعدي!».

أجابت وهي تنهض عن الكرسي بسرعة: «بالتأكيد».

تزامن توقيت ظهور المرأة التي ترتدي الفستان الأبيض مرة أخرى بدقة مع تغيّر مزاج كوتاكي التي انتفخت عيناها بسبب البكاء، فنظرت إلى كازو وكي، ورفعت الرسالة التي قرأتها كازو للتو ولوّحت بها.

قالت بابتسامة: «إذاً، ها نحن ذا».

ردت كي بإيماءة، ولا تزال الدموع تنهمر من عينيها اللامعتين مثل الشلال.

تمتمت كوتاكي وهي تحدّق إلى الرسالة: «ماذا كنت أفعل؟».

حبست كي دموعها، وقالت بقلق: «كوتاكي».

طـوت كوتاكـي الرسـالة بعنايـة، وأعادتها إلـى المغلف وقالت بصوت جريء وواثق: «أنا ذاهبة إلى المنزل».

أومـأت لهـا كازو إيمـاءة صغيـرة، وبقيـت كـي تحـاول حبـس دموعهـا، ثـم نظـرت كوتاكـي إلى عيني كـي الدامعتيـن اللتين ذرفتا دموعـاً أكثـر منهـا، وابتسـمت لها قبل أن يصيبهـا الجفاف، وأخذت نفسـاً عميقـاً. فهـي لـم تبدُ ضائعة، بل بدت قويـة. أخرجت محفظة النقـود مـن حقيبتهـا ووضعتها على المنضـدة، وناولت كازو 380 يناً من العملات المعدنية.

قالت: «شكراً».

بادلت كازو ابتسامتها، وبدت تعابير وجهها هادئة.

أومأت كوتاكي بسرعة، وسارت باتجاه المدخل بخطى سريعة، إذ كانت على عجلة من أمرها لرؤية وجه فوساغي.

عبرت مدخل المقهى، فنظرت إليها كازو وكي باستغراب.

وقالت: «هناك شيء آخر، أرجو أن لا يناديني أحد باسم عائلتي بدءاً من الغد، اتفقنا؟».

وابتسمت ابتسامة عريضة.

كانت كوتاكي هي من طلبت أن يناديها الجميع باسـم عائلتها، لأنها أرادت تجنب الالتباس، عندما بدأ فوساغي بمناداتها كوتاكي. لكن لم يعد من داعٍ لذلك بعد الآن. عادت الابتسامة إلى وجه كي، واتسعت عيناها اللامعتين وقالت بسعادة: «حسناً، فهمتك».

قالـت كوتاكـي: «أخبـري الجميـع بذلـك»، ولوّحـت بيدهـا، وغادرت من دون أن تنتظر جواباً.

أجابت كازو كما لو أنها تتحدث إلى نفسها: «حسناً». ثم وضعت المال الذي دفعته كوتاكي في صندوق المحاسبة.

رفعت كي الفنجان الذي شربت منه كوتاكي، وذهبت إلى المطبخ لإحضار المزيد من القهوة للمرأة التي ترتدي الفستان الأبيض، فتردّد صدى صوت طقطقة مفاتيح صندوق المحاسبة في جميع أنحاء الغرفة الباردة، وواصلت مروحة السقف الدوران بهدوء. عادت كي وسكبت فنجان قهوة جديد للمرأة التي ترتدي الفستان الأبيض. وهمست: «نقدّر حضورك مرة أخرة في هذا الصيف الحار.»

واصلت المرأة التي ترتدي الفستان الأبيض قراءة روايتها من دون أن تجيبها، ثم وضعت كي يدها على معدتها وابتسمت.

كان الصيف قد بدأ للتو.

III

الأختان

جلست فتاة بهدوء على ذلك الكرسي، بدت كبيرة بما يكفي لتكـون فـي المرحلـة الثانويـة. كانـت عيناهـا كبيرتيـن وجميلتين، ارتدت سترة ذات ياقة عالية قشدية اللون، وتنورة قصيرة من قماش الترتان، وجوربين نسـائيين سـوداوين، وانتعلت حذاء طويلاً بنياً، وعلّقت معطفاً من القماش السميك على ظهر كرسيها. تصلح هذه الملابس لشخص بالغ، ولكن من ارتدتها بدا في ملامحها أنها لا تزال في مرحلة الطفولة. وقد بدت ملابسـها غير مناسـبة لموسـم الحرّعلـى الإطـلاق، إذ كان ذلـك اليوم في بداية شـهر أغسـطس. كان شعرها قصيراً، ولم يتجاوز أسفل حنكيها، ولم تضع مساحيق التجميل، إلا مكثّفاً للرموش التي كانت طويلة بشكل أبرز ملامحها الجميلة. وعلى الرغم من أنها جاءت من المسـتقبل، ما كان أحد ليعـرف أنهـا لـم تكـن من هذا الزمن، لو أنهـا لـم تجلس على ذلك الكرسي.

لم يعلم أحد من الشخص الذي سافرت لرؤيته. في هذه اللحظة، لم يكن في المقهى سوى ناغاري توكيتا، وقد ارتدى الرجل الضخم

البنية ذو العينين الضيقتين زي الطبّاخ، ووقف خلف المنضدة.

لـم يبـدُ أن الفتاة آتـت لمقابلة صاحب المقهى، على الرغم من أنها كانت تنظر إليه نظرات خاطفة، لكنها لم تبدِ أي مشـاعر محدّدة تجاهه، بل بدت، وكأنها غير مبالية بوجوده. ولكن في الوقت نفسه، لـم يكـن هنـاك أحد آخر في المقهى. وقف ناغاري هناك، ينظر إليها شابكاً ذراعيه.

كان ناغـاري رجـلاً ضخـم البنيـة، ما قد يشـعر أي فتاة أو امرأة بالرهبة عندما تجلس وحيدة معه في هذا المقهى الصغير، لكن التعبير الهادئ على وجه هذه الفتاة أوحى بأنها لم تبالِ أبداً.

لـم تتبـادل الفتـاة وناغاري أي كلمة، كما لم تفعل شيئاً سـوى إلقاء نظرة خاطفة بين الفينة والأخرى على إحدى الساعات المعلّقة على الحائط، وكأنها قلقة بشأن الوقت.

فجـأة، ارتعـش أنـف ناغاري، واتّسـعت عينه اليمنـى، أكثر من العيـن اليسـرى، حيـن رن صـوت محمصـة الخبز فـي المطبخ، فقد صـار الطعـام جاهـزاً. ذهب إلى المطبخ، وانشـغل بإعداد شـيء ما، ولـم تهتم الفتاة بالضوضاء الذي صدر من المطبخ، واحتسـت رشـفة مـن قهوتهـا، ثـم هـزّت رأسـها، وكأنها تقول نعم، لابـد أن القهوة لا تزال دافئة، لأن تعبيرها أشـار إلى أن لديها متّسـع من الوقت. خرج ناغاري من المطبخ، وهو يحمل صينية مستطيلة عليها خبز محمص، وزبـدة، وسـلطة، ولبن بالفواكه. وقـد صنع الزبدة يدوياً، وذلك كان مـن تخصصاتـه. كانـت الزبدة التـي يصنعها لذيذة للغايـة لدرجة أن المـرأة التـي كانـت تضـع الأسـطوانات على شـعرها، يايكو هيراي،

تأتـي للحصـول علـى القليل منها، وهي تحمل بين يديها حقيبة طعام بلاستيكية.

كان يفـرح ناغـاري كثيـراً، عندمـا يشـاهد فرحـة الزبائـن، وهم يتناولـون زبدتـه اللذيـذة، لكـن المشـكلة، تكمن في أنـه على الرغم مـن اسـتخدامه أغلـى المكونات في صنعهـا، إلا أنه كان يقدّم الزبدة مجانـاً للزبائـن مـن دون أن يتقاضى المال مقابلها، وقد حرص دوماً على حصول ذلك. لذا، شكّلت معاييره الرفيعة مشكلة كبيرة لميزانية المقهى.

وقـف أمـام الفتاة، وهو لا يزال يمسـك بالصينيـة. لابد أن بنيته الضخمة جعلته يبدو وكأنه جدار عملاق أمام الفتاة الصغيرة الجالسة هناك.

نظر إليها، ودخل مباشـرة في صلب الموضوع: «تريدين مقابلة من؟».

نظـرت الفتـاة إلى الرجل العملاق الذي وقف أمامها، وحدّقت إليه بعفوية، ما جعله يشعر بالغرابة لأنها لـم تهَبه، إذ اعتاد رؤية دهشة الغرباء وخوفهم لشدّة ضخامة حجمه.

أجابت وهي تحتسي رشفة أخرى من القهوة: «لا أحد على وجه الخصوص». فلم تتجاوب معه على الإطلاق.

أمال رأسه قليلاً، وضع الصينية بخفّة على طاولة الفتاة، ثم عاد إلى مكانه خلف المنضدة، وهو يراقب الفتاة التي بدت غير مرتاحة.

ثم نادت ناغاري: «المعذرة».

«ماذا؟».

قالت الفتاة بغرابة مشيرة إلى الخبز المحمص أمامها: «لم أطلب هذا».

أجابها بفخر: «إنه تقدمة من المقهى».

نظرت الفتاة إلى كل الطعام المجاني بذهول، فمدّ ذراعيه، وانحنى إلى الأمام واضعاً كلتا يديه على المنضدة.

وقال: «لقد بذلتِ جهوداً كبيرة لتأتي من المستقبل، ولا يمكنني أن أجعل فتاة مثلك تعود من دون أن أُقدم لها شيئاً». لعله توقّع منها أن تشكره في المقابل، ولكن الفتاة استمرّت في التحديق إليه من دون أن تشكره أو تبتسم حتى. فشعر بأنه مضطر للردّ.

خاطبها بانزعاج: «هل من مشكلة؟».

«لا. شكراً لك، سأتناول الطعام».

«أحسنت».

«حسناً، لماذا لا؟».

دهنت الفتاة الزبدة على الخبز المحمص باحتراف، وقضمت منها قضمة كبيرة، واستمرت تمضغها على مهلٍ، فبدا أسلوبها راقياً في تناول الطعام.

بقي ينتظر ردّ فعل الفتاة، إذ بطبيعة الحال، ستظهر إعجابها بزبدته التي تستحقّ المديح. لكنها لم تتصرّف كما توقع، بل واصلت الأكل من دون أن تتبدّل تعابير وجهها. وما إن انتهت من تناول الخبز المحمص، بدأت تأكل السلطة، فاللبن بالفاكهة.

عند فروغها من تناول الطعام، طوت الفتاة يديها من دون الإدلاء بأي تعليق، فشعر ناغاري بالإحباط.

صوت صرير الباب.

كانت تلك كازو. سلمت حلقة المفاتيح إلى ناغاري الذي وقف خلف المنضدة.

قالت: «لقد عد–» لكنها توقفت قبل أن تنهي كلامها عندما لاحظت الفتاة الجالسة على ذلك الكرسي.

أجابها ناغاري: «مرحباً». ثم وضع حلقة المفاتيح في جيبه. لم يقل، مرحباً، أهلاً بعودتك، كما يفعل عادة.

سحبته كازو من خصره وهمست: «من هذه؟».

أجابها: « كنت أحاول اكتشاف ذلك».

في العادة، لا تولي كازو اهتماماً لهوية الأشخاص الذين يجلسون هناك، فعندما يظهر شخص ما، تعرف بسهولة أنه جاء من المستقبل لمقابلة شخص آخر. لذا، لا تتدخل في ذلك عادة.

لكن لم يسبق أن جلست فتاة شابة جميلة على هذا الكرسي من قبل، لذا، لم تستطع منع نفسها من التحديق بها.

لم تمر نظراتها من دون أن تلاحظها الفتاة.

قالت الفتاة: «مرحباً!». ثم ابتسمت ابتسامة لطيفة.

ارتفع حاجب ناغاري الأيسر بانزعاج، لأنها لم تبتسم له.

سألت كازو: «هل أتيت لمقابلة شخص ما؟».

صرّحت الفتاة: «نعم، أعتقد ذلك».

عند سماع هذه المحادثة، قضم ناغاري شفتيه انزعاجاً، كونه طرح السؤال نفسه قبل لحظات، لكن الفتاة أجابته بالنفي، فلم يعجبه

الوضـع، وقـال على نحو متقطع وهو يسـير مبتعـداً: «لكنه ليس هنا، أليس كذلك؟».

تساءلت كازو وهي تلامس ذقنها بإصبعها والحيرة تعلو وجهها، إذاً من كانت تخطّط لمقابلته؟

«بالتأكيـد ليـس هو؟». ووجهـت إصبعها الذي أبعدته عن ذقنها باتجاه ناغاري.

أشار ناغاري إلى نفسه: أنا؟». وطوى ذراعيه وتمتم: «ممم....» كما لو أنه يحاول أن يتذكر الظروف المحيطة بظهور الفتاة.

ظهرت الفتاة على هذا الكرسـي منذ عشـر دقائق تقريباً. بعد أن اضطـرت كـي للذهـاب إلى العيادة النسـائية، وقد أوصلتها كازو إلى هنـاك. خلافـاً للعـادة، إذ كان يصطحبها ناغاري لإجـراء فحوصاتها الدورية، لكن اليوم كان مختلفاً.

فقـد سـادت النظرة إلى العيادة النسـائية علـى أنها مكان خاص بالنساء فقط، ولا يجوز للرجل دخولها أبداً. لهذا أدار يومها المقهى بمفرده.

(هل اختارت وقتاً كنت أعمل فيه وحدي؟)

خفق قلبه بسرعة عندما فكّر على هذا النحو.

(لـذا، ربمـا كانـت تتصـرّف بتلـك الطريقـة حتـى الآن لأنهـا محرجة...)

وضع يده على ذقنه، فأومأ برأسـه كما لو أن كل شـيء أصبح منطقياً، فترك المنضدة، وجلس على الكرسي قبالة الفتاة.

نظرت إليه الفتاة نظرة خالية من التعابير.

لم تعد تعابيرها هي نفسها التي علت وجهها منذ لحظات.

وأعتقد أن ارتسام ابتسامة عريضة على وجهه، أدّى إلى برودها تجاهه، وقد يكون ذلك مجرد خجل، لذا، سأحاول أن أعاملها بودّ أكثر.

انحنى إلى الأمام على مرفقيه بطريقة مريحة. وسألها: «هل جئت لمقابلتي؟».

«هذا محال».

«أنا؟ هل أتيت لمقابلتي؟».

«لا».

«أنا؟».

«لا!».

«...».

كانت الفتاة مصّرة على موقفها، فسمعت كازو الحديث، وتوصلت إلى نتيجة بسيطة.

«إذاً، أنتَ مستبعد تماماً».

مجدّداً، خاب ظنّ ناغاري الذي قال متذمراً وهو يعود إلى المنضدة: «حسناً... إذاً لست أنا الشخص المطلوب».

بدت الفتاة، وكأنها وجدت هذا مضحكاً، فقهقهت.

رنّ صوت جرس الباب

عندما رنّ الجرس، نظرت الفتاة إلى ساعة الجدار التي تتوسّط الساعتين الأخريين كونها كانت الساعة الوحيدة الدقيقة. أما الأخريان

فكانت إحداهما متقدمة التوقيت والأخرى متأخرة التوقيت، وهي لا بد أنها عرفت ذلك، ثم ثبتت ناظريها باتجاه المدخل.

بعد لحظة، دخلت كي إلى المقهى.

قالت في أثناء دخولها: «شكراً يا عزيزتي كازو». كانت قد ارتدت فستاناً أزرق اللون وانتعلت صندلاً، واعتمرت قبعة من القش. لقد غادرت بصحبة كازو، ولكن لا بد أنها مرت بالمتجر المجاور قبل عودتها إلى المقهى لأنها كانت تحمل حقيبة تسوق بلاستيكية، كانت كي شخصاً مرحاً لا يدع الهموم تنغّص عليه عيشه، وطيب القلب، ولا يرتبك أبداً، إذ تمكّنت من التعامل مع أكثر الزبائن رهبة؛ وتعاملت معهم بودّ وطلاقة، حتى في أثناء تواصلها مع الأجنبي الذي لا يتحدث اليابانية.

عندما لاحظت كي الفتاة جالسة على هذا الكرسي، قالت: «مرحباً بك» وابتسمت لها بمودّة مفرطة، كما كانت نبرة صوتها أعلى من المعتاد.

استقامت الفتاة في كرسيها، وأحنت رأسها قليلاً، لكنها ظلت تحدّق إلى كي.

ابتسمت لها كي، واتجهت نحو الغرفة الخلفية.

سأل ناغاري كي: «ما الأخبار؟».

لا بد أنه أراد معرفة شيء واحد، بالنظر إلى المكان الذي عادت منه هي وكازو.

ربّتت كي على معدتها المسطحة، ثم رفعت إشارة النصر بيدها وابتسمت.

قال: «حسناً».

أغمض عينيه قليلاً، وأومأ لها إيماءتين صغيرتين.

لطالما وجد صعوبة في التعبير عن سعادته، عرفت كي ذلك حقّ المعرفة، فنظرت إلى ردّ فعله برضا.

راقبت الفتاة الجالسة على ذلك الكرسي كي بنظرات ثاقبة ودقيقة. يبدو أن كي لم تلحظ أن الفتاة تراقبها بتلك الطريقة. وما إن همّت بالدخول إلى الغرفة الخلفية حتى نادتها الفتاة بصوت عالٍ وبشكل غير متوقع: «لو سمحت؟». كما لو أن ذلك يشير إلى أنّها المقصودة بهذه الزيارة.

توقفت كي في مكانها، وأجابت من دون تفكير: «نعم؟».

استدارت، ونظرت إلى الفتاة بعينيها المشرقتين.

تجنبت الفتاة النظر في عينيها، وبدأت بالتململ.

سألتها كي: «ماذا هناك؟».

رفعت الفتاة ناظريها كما لو أنها أرادت منها شيئاً بالفعل؛ فكانت ابتسامتها صادقة ولطيفة، وقد اختفت تماماً البرودة التي أبدتها نحو ناغاري.

«أنا فقط...».

«نعم؟ ماذا هناك؟».

«أودّ أن ألتقط صورة معك».

رمشت عينا كي بسرعة، مندهشة من طلب الفتاة، وسألتها مستغربة: «معي؟».

«نعم».

أجاب ناغاري على الفور: «معها؟». وأشار نحو كي.

قالت الفتاة بمرح: «نعم».

سألت كازو: «هل تعنين أنك أتيت لرؤيتها؟».

«نعم».

أشـرقت عينـا كـي عندما سـمعت اعتراف الفتـاة المفاجئ، فلم يكـن مـن طبـع كي أن تشـك فـي نوايا الغرباء أبداً، وبدلاً من سـؤال الفتاة عن هويتها أو عن سـبب رغبتها في التقاط صورة معها، قالت على الفور: «حقاً!؟ هل يمكنني إصلاح مكياجي أولاً؟».

أخرجـت علبـة المكيـاج مـن حقيبتهـا، وبـدأت بإصـلاح مكياجها.

قالت الفتاة على وجه السرعة: «لا وقت لدي».

«بالطبع، لا».

بطبيعة الحال، كانت كي تعرف القواعد جيداً، فاحمرّت وجنتاها من الإحراج وهي تغلق علبة مساحيق التجميل.

لـم تسـتطع الفتـاة الوقـوف بجانب كـي كما يحصل عـادةً عند التقـاط الصـور مـع أحدهـم، لأن القاعدة تحظر عليهـا النهوض عن الكرسـي، سـلمت كي حقيبتها البلاسـتيكية وقبعة القش إلى كازو، ووقفت إلى جانب الفتاة.

سألتها كازو: «أين كاميرتك؟».

مررت الفتاة لها آلة بحجم الكفّ عبر الطاولة.

سألتها كي متفاجئة: «ماذا؟ هل هذه كاميرا؟». نظرت كازو إلى الكاميرا الرقيقة والهشّة والتي بدت أشبه ببطاقة العمل.

فُتنت كي بها، فأمعنت النظر فيها من جميع الزوايا: «إنها رقيقة للغاية».

خاطبت الفتاة كي بهدوء: «علينا أن نسرع. أوشك الوقت أن ينفد».

أجابتها كي وهي تهز كتفيها، ووقفت إلى جانب الفتاة مرة أخرى: «نعم، أنا آسفة».

وجهت كازو الكاميرا نحو الاثنتين: «حسناً، سألتقط الصورة». لم يكن استخدامها صعباً، كل ما فعلته أنها ضغطت على الزر الذي توسّط الشاشة.

علا صوت نقر الزر

قالت كي: «ماذا؟ انتظري قليلاً، متى ستلتقطين الصورة؟».

لقد التقطت كازو الصورة بينما كي تسرّح شعرها وترتّب مظهرها.

أعادت الكاميرا إلى الفتاة: «هل التقطت الصورة؟ متى فعلت ذلك؟!».

كانت الفتاة وكازو راضيتان جداً. أما كي، فقد ملأت الأسئلة المحيرة رأسها.

قالت الفتاة: «شكراً جزيلاً لك». وشربت على الفور ما تبقى من قهوتها.

قالت كي: «ماذا...؟ دقيقة واحدة». لكن الفتاة، تلاشت مع البخار. ومع تصاعد البخار نحو السقف، ظهرت المرأة التي ترتدي

الفستان الأبيض أسفله، وقد بدت وكأنها خدعة تحوّل كالخدع التي يمارسها النينجا.

اعتاد الثلاثة على مشاهدة أشياء من هذا القبيل، لذلك لم يفاجأوا أبداً، أما لو شاهد ذلك زبون ما فكان سيصدمه المشهد حتى بعد أن يخبروه بأن ذلك مجرد خدعة بسيطة. لكن إذا سُئل موظفو المقهى عن كيفية أدائهم لها، فلن يتمكّنوا من الإجابة.

تابعت المرأة التي ترتدي الفستان الأبيض قراءة روايتها بهدوء، وكأن شيئاً لم يحدث. ومع ذلك، عندما لاحظت الصينية، دفعتها بعيداً بيدها اليمنى، وهذا عنى بجلاء خذوها بعيداً!

تناول ناغاري الصينية من كي عندما ذهبت لالتقاطها، وأدار ظهره وذهب إلى المطبخ.

تمتمت كي: «أتساءل من كانت هذه الفتاة». تناولت الحقيبة البلاستيكية وقبعة القش من كازو، وذهبت إلى الغرفة الخلفية.

ظلّت كازو تحدّق إلى ذلك الكرسي حيث جلست المرأة التي ترتدي الفستان الأبيض، وبدا جلياً من خلال نظراتها أن شيئاً ما كان يزعجها.

كانت هذه هي المرة الأولى التي يأتي فيها زبون من المستقبل للقاء أي من ناغاري، أو كي، أو كازو. إذ لم لم يكن هناك سبب وجيه يدفع شخصاً للعودة عبر الزمن حتى يقابل أحد موظفي المقهى الذين يتواجدون دائماً فيه.

ومع ذلك، جاءت فتاة من المستقبل لمقابلة كي.

لم يسبق لكازو أن استجوبت أي شخص لمعرفة سبب زيارته

من المستقبل. فعلى سبيل المثال، حتى لو سافر مجرم عبر الزمن، فسيكون لديها سبب وجيه لتركه وشأنه. إذ تنصّ القاعدة على أن الحاضر لا يتغيّر مهما حاول المرء إعادة ترتيب الأحداث في الماضي، ولا يمكن كسر هذه القاعدة. وقد كشفت سلسلة الأحداث التي حدثت دائماً باستحالة تغيير الحاضر، حتى وإن جاء مسلح من المستقبل، وأطلق النار على أحد الزبائن، فلن يتمكن من قتله ما دام الزبون يعيش في المستقبل، حتى وإن أصابته الرصاصة في قلبه.

كانت هذه هي القاعدة.

وستستدعي كازو أو غيرها الإسعاف ورجال الشرطة، وستأتي سيارة الإسعاف إلى المقهى من دون أن تعلق في زحمة المرور، ستأخذ المصاب من المقهى بسرعة إلى المستشفى مستخدمة أقصر الطرق لإيصاله وبأسرع وقت ممكن، وعند رؤية حالة المريض، قد يقول طاقم المستشفى، ربما لا يمكننا إنقاذه، وحتى لو حدث ذلك، سيصادف وجود جراح عالمي رائد في عمله وسيعمل جاهداً لإنقاذ المريض. ولو أن دم الضحية من فئة نادرة ولا يحملها إلا واحد فقط من بين عدة آلاف، فسيكون هناك مخزون من هذه الفئة في المستشفى، وسيكون طاقم الجراحة بارعاً، وستنجح العملية، وقد يقول الجراح لاحقاً، إنه لو تأخرت سيارة الإسعاف دقيقة واحدة، أو لو أصابته الرصاصة على مسافة ملليمتر إلى اليسار، فلن ينجو المريض، وسيقول جميع الطاقم الطبي أن نجاته كانت معجزة. لكنها لن تكون بمعجزة، بل هي القاعدة التي تنصّ على نجاة الرجل الذي أصيب في الماضي كونه لا يزال حياً في المستقبل.

لذلك، لم تهتم كازو بهوية الشخص الذي جاء من المستقبل، لأي سبب كان، لأن كل ما سيحاول فعله القادم من المستقبل سيكون عديم الجدوى.

* * *

نادى ناغاري من المطبخ: «من فضلك، هل يمكنك مساعدتي».

استدارت كازو، فرأت ناغاري يقف عند باب المطبخ ممسكاً بالصينية التي احتوت على القهوة المخمرة للمرأة التي ترتدي الفستان الأبيض، فحملت الصينية، وتوجّهت نحو الطاولة حيث جلست المرأة.

حدّقت إليها قليلاً، وتساءلت: لماذا عادت تلك الفتاة؟ إذا كان الأمر يتعلق بالتقاط صورة مع كي، فلماذا بذلت كل هذا الجهد للعودة إلى الماضي؟

صوت رنين جرس الباب

صاح ناغاري: « أهلاً، مرحباً بك». استجمعت كازو شتات أفكارها، وقدّمت القهوة.

(أشعر أن هناك شيئاً مهماً يفوتني)

هزّت رأسها قليلاً لتبدّد هذا الشعور.

دخلت كوتاكي المقهى: «مرحباً». كانت في طريقها من عملها إلى المنزل.

ارتدت قميص بولو أخضر ليموني وتنورة بيضاء وانتعلت حذاء أسود. وتدلّت حقيبة قماشية من كتفها.

قال ناغاري: «مرحباً، كوتاكي».

عندما سمعته ينادي اسمها، استدارت كما لو أنها أرادت أن تخرج مرة أخرى.

فصحّح عبارته: «عذراً، آسف. سيدة فوساغي».

ابتسمت كوتاكي مبدية رضاها، وجلست خلف المنضدة.

لقد مرّت الآن ثلاثة أيام على عودة كوتاكي من الماضي، فبعد قراءة الرسالة التي كتبها فوساغي، والتي لم يعطها إياها في الحاضر، أصرت على أن يناديها الجميع بالسيدة فوساغي.

علقت حقيبتها على ظهر كرسيها. وقالت: «القهوة، رجاءً».

قال ناغاري وهو يحني رأسه، ويستدير باتجاه المطبخ لتحضير القهوة: «بالتأكيد».

جالت بعينيها في أرجاء المقهى، وثنت كتفيها، وتنفّست بعمق، لقد أرادت أن ترافق فوساغي إلى المنزل ولكنه ليس في المقهى، لذلك شعرت بالإحباط بعض الشيء. وحين انتهت كازو من خدمة المرأة التي ترتدي الفستان، لمعت علامات الفرح في عينيها وهي تصغي إلى نقاش ناغاري وكوتاكي.

قالت: «سأخذ استراحتي» وذهبت إلى الغرفة الخلفية، وكوتاكي تلوّح لها وتقول: «حسناً».

كان ذلك في أوائل أغسطس، حين بلغت درجات حرارة الصيف ذروتها. وعلى الرغم من ذلك، أحبت كوتاكي احتساء قهوتها ساخنة حتى في أشد أيام فصل الصيف حرارة. إذ لطالما أعجبتها رائحة القهوة المخمّرة حديثاً، شعرت بلذّتها أكثر وهي ساخنة، ولم تستطع

الاستمتاع بالقهوة المثلجة بالطريقة نفسها.

عندما يحضّر ناغاري القهوة، عادة يخمّرها باستخدام طريقة السيفون، عبر صبّ الماء المغلي في زجاجة، وتسخينه ليرتفع تيار من البخار عبر قِمع، ويصنع القهوة من الحبوب المطحونة الموجودة داخله. ومع ذلك، عندما يحضّر القهوة لكوتاكي وبعض الزبائن الدائمين، فهو يخمّر القهوة بطريقة التقطير اليدوي. وفي أثناء تحضيره للقهوة المقطّرة باليد، يضع مرشّحاً ورقياً في جهاز تنقيط، ثم يضيف القهوة المطحونة، ويسكب الماء المغلي فوقها. لطالما اعتقد أن أسلوب التنقيط اليدوي في تحضير القهوة يمنحها لذّة لا توصف، حيث يمكنه تغيير مرارة وحموضة القهوة عن طريق تغيير درجة حرارة الماء قبل سكبها. ونظراً لأن المقهى لا يدير آلة الموسيقى، فكان من الممكن سماع الصوت اللطيف لتقطير القهوة في الإبريق قطرة تلو الأخرى. ولطالما ابتسمت كوتاكي برضى عند سماعها هذا الصوت.

تميل كي إلى استخدام آلة صنع القهوة الأوتوماتيكية. ويتم تجهيز هذه الآلة بكبسة زر واحد ترضي مختلف الأذواق. فضّلت كي الاعتماد على الآلة لأنها لم تكن بارعة في فن صنع القهوة. لهذا السبب، تجنّب بعض الزبائن المعتادين طلب القهوة ما لم يكن ناغاري موجوداً. أياً يكن الأمر، كان تأثير القهوة نفسه، سواء أكانت من إعداد ناغاري أو كي. أما كازو فتصنع القهوة عادة باستخدام طريقة السيفون، ولم يكن اختيارها لهذه الطريقة بسبب النكهة اللذيذة، بل لأنها ببساطة تستمتع بمشاهدة الماء الساخن وهو يرتفع

عبـر القمـع. إلا أنهـا في الوقت نفسـه، وجدت أنـه من الممل تقطير القهوة يدوياً.

قُدمـت القهـوة التـي حضرها ناغـاري بصفة خاصّـة لكوتاكي، وعندمـا وضعـت القهـوة أمامهـا، أغمضت عينيها، وتنفّسـت بعمق، وقـد غمرهـا شـعور بالسـعادة. ووفقـاً لطلبهـا، صنعـت القهـوة من حبوب الموكا ذات الرائحة المميزة التي قد يحبها محتسو القهوة أو يكرهونها. لا يمكن لأولئك الذين يستمتعون بالرائحة، مثل كوتاكي، الاكتفـاء منهـا. فـي الواقـع، يمكن القول إن القهـوة هي التي تجذب الزبائن، تماماً كما هو الحال مع زبدة ناغاري، التي تجعله يسـتمتع بمشـاهدة الزبائن وهم يبتهجون عندما يتنشّـقون رائحتها. وبينما كان يراقب كوتاكي، ضاقت عيناه أكثر.

قالت كوتاكي وهي تسـتمتع بقهوتها كما لو أنها تذكرت فجأة: «بالمناسبة، لقد لاحظت أن حانة هيراي مغلقة منذ الأمس. هل تعرف لماذا؟».

حانة الوجبات الخفيفة، وهو نوع من الحانات الصغيرة، أدارتها هيراي على بعد أمتار قليلة من المقهى.

كانت الحانة صغيرة، وقد احتوت على منضدة وستة مقاعد. لكن كانت جميع تلك المقاعد ممتلئة دائماً. كانت هيراي تفتح الحانة في أوقات مختلفة في المسـاء حسـب مزاجها، ولكنها لم تقفل ولا ليلة على مدار السنة منذ أن فتحت أبوابها مهما اشتدّت عليها الظروف. وغالباً ما انتظر الزبائن في الخارج افتتاح الحانة. وفي بعض الليالي، قد يصل عدد الزبائن الجالسين على الكراسي إلى عشرة، بينما يأكل

الباقون وهم واقفون.

لـم يكـن رواد الحانة من الرجال فقط، فهيراي تحظى بشـعبية بين النسـاء أيضاً. ولكن في بعض الأحيان، تخدش طريقتها الفظّة في التحدث كبرياء الرواد، لكنهم كانوا يدركون تماماً أنها لا تقصد الإهانة. فلطالما شـعر رواد الحانة بالراحة مع هيراي التي امتلكت عفويّة طبيعية مكّنتها من قول أي شيء من دون أن تقع في المشاكل. كما كانت ترتدي ملابس مبهرجة، من دون أن تكترث بما سـيقوله الآخرون عنها. لكنها كانت متمسـكة بالآداب والأخلاق الحميدة، وهـي تصغـي بإمعـان إلى حديث أي شـخص، لكن لو شـعرت أن أحد رواد الحانة على خطأ، حتى لو كان من هؤلاء الذي يتمتعون بمكانـة اجتماعيـة مرموقة، فلن تتـرد في تصويب أخطائه. وقد كان بعض رواد الحانة كرماء، لكنها لم تقبل منهم أي مبالغ باستثناء ثمن المشروبات. وقد حاول بعضهم إثارة إعجابها أيضاً من خلال تقديم هدايـا باهظـة الثمـن، لكنهـا لـم تقبلها أبداً، حتـى أن بعض الرجال عرضـوا عليهـا شـراء منـزلٍ لهـا، أو سـيارة مرسـيدس، أو فيراري، والكثيـر مـن الألماس والأغـراض الأخرى القيّمـة، لكنها أجابتهم دائماً بالطريقة نفسـها «أنا لسـت مهتمة». حتى أن كوتاكي اعتادت زيـارة الحانـة أحيانـاً، إذ كان المـكان يوفّر لها قضاء وقت ممتع في أثناء احتساء الخمر.

لاحظت كوتاكي أن الحانة، التي غالباً تكون مليئة بالزبائن، لم تفتح منذ ليلتين على التوالي، ولم يعرف أي من الرواد السبب. لذا، شعرت بالقلق بعض الشيء.

بمجـرد أن تطرقـت إلـى موضـوع هيراي، أصبـح وجه ناغاري جاداً.

سألت بذعر: «ماذا حدث؟».

أجابها بهدوء: «أصيبت أختها بحادث سيارة».

«يا إلهي، لا!».

«لذلك ذهبت إلى منزل والديها».

«يـا إلهـي، هـذا فظيـع!». ركـزت نظرتهـا على القهوة الشـديدة السـواد، وتذكـرت كومـي أخـت هيـراي الصغرى التي تـردّدت إلى المقهى محاولة إقناع هيراي – التي قطعت علاقتها بالعائلة – بالعودة إلى المنزل. وعلى مدار العامين الماضيين، اعتبرت هيراي أن زياراتها المتكـرّرة مصـدر إزعـاج لها لدرجة أنها في كثير من الأحيان تجنبت مقابلتهـا. علـى الرغـم من ذلك، كانت كومي تزور طوكيو كل شـهر تقريبـاً. وقبـل ثلاثـة أيـام، زارت كومـي المقهى للقاء هيـراي، فوقع الحادث في طريق عودتها إلى المنزل.

اصطدمت السيارة الصغيرة التي كانت تقودها بشاحنة ضخمة، يبدو أن سـائقها قد غفا في أثناء القيادة، فنُقلت إلى المستشـفى في سيارة إسعاف، لكنها فارقت الحياة قبل وصولها.

أفلتت كوتاكي فنجان القهوة: «يا لها من أخبار مروّعة».

اختفى البخار الخافت الذي كان يتصاعد من القهوة.

وقـف ناغـاري مكتـوف الذراعيـن، وهـو يحـدّق إلـى الأرض بصمت.

كان قـد تلقّـى بريـداً إلكترونياً عبر هاتفه من هيراي، ربما كانت

لتتصل بكي لو كانت تمتلك هاتفاً. وفي الرسالة شرحت هيراي بعض التفاصيل حول هذا الحادث، وذكرت أنها ستغلق الحانة لفترة من الزمن، وقد كتبت رسالة البريد الإلكتروني بأسلوب جاف. استخدمت كي هاتفه لتسأل هيراي عن حالها، لكنها لم تتلق أي ردّ. لقد سمي النزل الواقع في ضواحي سينداي باسم تاكاكورا، ويعني «الخزينة».

تعد سينداي منطقة سياحية شهيرة، وتشتهر بشكل خاص بمهرجان تاناباتا المتميز. يشتهر المهرجان بساساكوزاري: وهي قطعة كبيرة من الخيزران يبلغ طولها حوالى عشرة أمتار، تُلصق بها خمس كرات ورقية عملاقة تتدلّى منها شرائط ورقية ملونة. يستمتع السائحون بمشاهدة أشكال الزينة المتنوّعة في المهرجان – شرائط ورقية ملونة، كيمونو ورقية، وطيور الأوريغامي الورقية – التي يستخدمونها للحصول على الحظ والبركة. يقام المهرجان من اليوم 6 إلى 8 من أغسطس، وهذا يعني أنه يفترض في غضون أيام قليلة، أن يبدأ تحضير الزينة في وسط المدينة حول محطة سينداي، وبما أن المهرجان يجتذب مليون سائح على مدى ثلاثة أيام، كانت فترة مهرجان تاناباتا هي الأكثر ازدحاماً بالنسبة إلى نزل تاكاكورا، الذي شيّد على بعد عشر دقائق بالسيّارة عن محطة سينداي.

صوت جرس الباب

صاح ناغاري بمرح: «مرحباً! أهلاً بكم». في محاولة منه لتغيير جوّ المقهى الكئيب.

عند سماع الجرس، انتهزت كوتاكي الفرصة لتأخذ راحتها، فمدّت يدها لتتناول فنجان القهوة.

قالت كي وهي تخرج من الغرفة الخلفية مرتدية المئزر بعد سماعها الجرس: «مرحباً، أهلاً بكم». لكنها لم ترَ أحداً.

استغرق ظهور الشخص الذي دخل المقهى وقتاً أطول من المعتاد، ولكن ما إن سمع ناغاري صوتاً مألوفاً أمال رأسه مستغرباً.

«ناغاري! كي! أي واحد منكما! أنا بحاجة إلى الملح! أحضرا لي الملح!».

«هيراي، هل هذه أنتِ؟».

لم يتوقع أحد أن تعود باكراً، حتى وإن انتهت جنازة أختها. نظرت كي بدهشة إلى ناغاري بعينين جاحظتين. للحظة وقف ناغاري مذهولاً، بعد سماع طريقة كلام هيراي السريعة المعتادة، فارتبك بعض الشيء كونه قد نقل للتو أخبار موت كومي إلى كوتاكي.

لعل هيراي أرادت الملح لتطهّر روحها، لكن بدا الأمر أشبه بالصراخ الصادر من المطبخ، من شخص ما يعد العشاء بلهفة.

«هيا!». هذه المرة، كان صوتها منخفضاً وليناً.

«حسناً! لحظة فقط».

أخيراً، تحرك ناغاري، فتناول زجاجة صغيرة من ملح الطهي من المطبخ، ومشى على عجل باتجاه المدخل. تخيّلت كوتاكي هيراي وهي تقف خارج مدخل المقهى، مرتدية ملابسها البراقة المعتادة. فبالنسبة إليها، كان سلوك هيراي غريباً للغاية، ولكن كيف يمكن أن تحضر إلى المقهى وأختها قد ماتت للتو؟ تبادلت هي وكي النظرات،

بدا أن كي تفكر في الشيء نفسه.

قالت هيراي وهي تجر قدميها: «أنا منهكة للغاية».

كانت تلك مشيتها المعتادة، لكنها ارتدت ملابس فستاناً بسيطاً أسود، بدلاً من ارتداء ملابسها البرّاقة الألوان المعتادة كاللونين الأحمر والوردي، ولم تضع على رأسها أسطوانات الشعر المعتادة، بل رفعت شعرها على شكل كعكة. فقد اتّفق الجميع على أنها بدت شخصاً مختلفاً. ثم جلست على مقعد الطاولة الوسطى، ورفعت ذراعها اليمنى وهي ترتدي ملابس الحداد السوداء.

خاطبت كي: «آسفة على الإزعاج، من فضلك، هل يمكنني الحصول على كوب من الماء؟».

أجابت كي: «بالطبع».

توجّهت كي وبدت في غاية العجلة للعثور على الماء.

هتفت هيراي: «أنا متعبة للغاية».

مدت ذراعيها وساقيها كما لو أنها سترفرف كالفراشة، وتأرجّحت حقيبة يدها السوداء من ذراعها اليمنى، وناغاري ينظر إليها وهو لا يزال يمسك بزجاجة الملح، وكوتاكي جلست خلف المنضدة، وهي تتصرّف بغرابة. وأخيراً عادت كي حاملة كوباً من الماء.

«شكرا جزيلاً». وضعت هيراي حقيبة يدها على الطاولة، وتناولت الكوب، فشربته دفعة واحدة، ثم أطلقت تنهيدة عميقة، أثارت دهشة كي.

قالت وهي تعيد الكوب إلى كي: «أريد كوباً آخر، من فضلك»، أخذت كي الكوب وذهبت إلى المطبخ، فتنهدت هيراي مرة أخرى

وهي تمسح العرق عن جبينها. وظلّ ناغاري يراقبها من مكانه.

قال: «هيراي؟».

«ماذا؟».

«كيف يمكنني قول ذلك؟».

«قول ما؟».

«كيف أقولها؟».

«ماذا؟».

«آسف على خسارتك...».

كافح ناغاري للعثور على الكلمات المناسبة بسبب سلوك هيراي الغريب الذي لا يشبه سلوك أي شخص آخر في حالة حزن، ولم تعرف كوتاكي ما يمكن أن تقوله أيضاً، فأحنت رأسها.

«تقصد كومي؟».

«نعم، بالطبع...».

قالت هيراي وهي تهز كتفيها: «حسناً، الأمر غير متوقّع بالتأكيد، أعتقد أنه يمكنك القول إنه مؤلم».

عادت كي وهي تحمل كوب ماء آخر، ناولتها الكوب وقد أحنت راسها، كاشفة عن انزعاجها وخوفها من سلوك هيراي.

«المعذرة. شكراً لك» شربت هيراي كوب الماء دفعة واحدة أيضاً. وقالت: «شرحوا لي أنها أصيبت في المكان الخطأ... لذا لم تكن محظوظة».

بدا الأمر وكأنها تتحدّث عما حدث لشخص غريب، فتعمّقت التجاعيد بين حاجبي كوتاكي، وهي تميل نحو الأمام.

«هل كانت اليوم؟».

«ما هي؟».

ردت كوتاكي مظهرة عدم ارتياحها لسلوك هيراي: «الجنازة، بالطبع».

قالت هيراي وهي تقف وتدور حول نفسها لتعرض ملابس الحداد: «نعم، انظري. هذا يليق بي نوعاً ما، ألا تعتقدين ذلك؟ هل تعتقدين أن هذا الفستان يجعلني أبدو كئيبة بعض الشيء؟». أخذت هيراي وضعيات عارضات الأزياء، وبدا الفخر على وجهها.

لقد توفّيت شقيقتها، وما لم يكن من في المقهى مخطئاً، فيبدو تصرّفها مستهتراً إلى أبعد الحدود.

تكلّمت كوتاكي بحزم، وبدت منزعجة من سلوك هيراي غير المبالي: «بالله عليك لماذا عدتِ باكراً...؟». ظهرت على وجهها علامات اشمئزاز كما لو كانت تحاول منع نفسها من قول، ألا تعتقدين أن هذا السلوك يسيء لذكرى أختك المتوفاة؟

توقفت هيراي عن عرضها المبالغ فيه، وجلست مرة أخرى بتكاسل.

رفعت يديها وأجابت: «ليس الأمر كذلك. لديّ حانة عليّ بالاهتمام بها أيضاً...» وبدا أنها قد فهمت ما كانت كوتاكي تحاول قوله.

«ومع ذلك...».

«رجاءً، لا أريد التحدث حول هذا الموضوع». مدّت يدها إلى حقيبتها السوداء، وسحبت منها سيجارة.

سأل ناغاري وهو يلعب بزجاجة الملح في يديه: «إذاً، ألا تمانعين؟».

تردّدت هيراي في الإجابة: «أمانع ماذا؟». نظرت إلى حقيبة يدها السوداء مرة أخرى بحثاً عن ولاعتها، وبدا وكأنها تواجه صعوبة في العثور عليها.

أخرج ناغاري ولاعة من جيبه وقدمها لها: «لكن لا بد أن والديك مستاءان للغاية بسبب وفاة أختك. ألم يجدر بك البقاء معهما لفترة من الوقت؟».

تناولت هيراي الولاعة من ناغاري، وأشعلت سيجارتها: «حسناً، بالتأكيد... عادةً ما يكون هذا هو الحال».

توهّجت سيجارتها، وتحولت بسرعة إلى عمود من الرماد، فنفضت الرماد في منفضة سجائر، وارتفع دخان السيجارة وبقيت هيراي تشاهد الدخان يتصاعد.

قالت بوجه خالٍ من التعابير: «لم يكن هناك من مكان لأبقى فيه».

للحظة، لم يستوعبا ما قالته، فنظر إليها كل من ناغاري وكوتاكي باستغراب.

رأت هيراي الطريقة التي حدقا بها إليها، وأضافت «لم يكن لديّ مكان يمكنني البقاء فيه». ثم أخذت مجّة أخرى من سيجارتها.

سألتها كي وقد علت على وجهها تعابير قلق: «ماذا تعنين؟».

أجابت هيراي على سؤال كي، كما لو أنها تتحدث عن أي شيء اعتيادي.

«وقع الحادث في طريق عودتها إلى المنزل، أليس كذلك؟ لذا من الطبيعي أن يلومني والداي على وفاتها».

سألت كي وهي فاغرة فمها من الدهشة: «كيف يمكنهما ذلك؟».

نفثت هيراي عمود دخان في الهواء، وتمتمت باستخفاف: «حسناً، إنهما يلومانني... إنهما على حق إلى حدٍّ ما. لقد ظلت تأتي إلى طوكيو مراراً وتكراراً... ورفضت رؤيتها في كل مرة أتت فيها».

في المرة الأخيرة، ساعدت كي هيراي على تجنّب رؤية كومي، وهي تحدّق الآن إلى الأرض والندم ينهش صدرها. واصلت هيراي الحديث من دون أن تنتبه إلى كي.

تلاشت ابتسامة هيراي عن وجهها وقالت: «رفض والداي التحدث إليّ، ولا حتى بكلمة واحدة».

سمعت هيراي بوفاة كومي من النادلة الرئيسية التي عملت في نزل والديها لسنوات عديدة. لقد مرتْ سنوات منذ أن أجابت هيراي على مكالمة وردتها من النزل. ولكن في الصباح الباكر وقبل يومين، ظهر رقم النزل على شاشة هاتفها الخلوي. وعند رؤيتها هوية المتصل، تسارعت دقات قلبها، وهي تجيب على المكالمة. الشيء الوحيد الذي أمكنها قوله رداً على النادلة التي أجهشت بالبكاء وهي تتحدث إليها: «لقد فهمت»، وأغلقت الخط بعدها، ثم حملت حقيبة يدها وتوجّهت إلى منزل عائلتها مستقلّة سيارة أجرة.

ادعى سائق التاكسي أنه فنان سابق، وفي أثناء الرحلة، قدّم أمامها مشهداً غير مرغوب فيه من تمثيله الكوميدي. ولكن قصصه كانت مضحكة بشكل غير متوقع، فتقلبت في المقعد الخلفي من الضحك

عند سماع قصصه. ضحكت مطولاً وبقوة، وانهمرت الدموع على وجهها. أخيراً، توقفت سيارة الأجرة أمام نزل تاكاكورا، حيث منزل عائلة هيراي.

كانت تبعد خمس ساعات عن المدينة، وبلغت أجرة التاكسي أكثر من 150 ألف ين، وبينما انشغلت هيراي بالبحث عن بقية الأجرة لدفعها للسائق، قال لها لا عليك هذا يكفي وانطلق بروح معنوية عالية.

عندما نزلت من التاكسي، لاحظت أنها لا تزال ترتدي الخفّين، وتضع أسطوانات الشعر أيضاً، فشعرت أن شمس الصباح الحارة جعلتها تتصبب عرقاً مع أنها لم ترتدِ سوى قميصها القصير. وعندما بدأت قطرات كبيرة من العرق بالتساقط على وجهها، تمنّت لو أنها حملت منديلاً. سارت عبر طريق من الحصى إلى منزل عائلتها الواقع في الجزء الخلفي من النزل. لقد صمم المكان الذي تعيش فيه عائلتها على الطراز الياباني، ولم يجر عليه أي تغيير منذ أن شُيّد هو والنزل.

اجتازت البوابة الكبيرة المسقوفة، ودخلت من المدخل الأمامي. لقد مرّ ثلاثة عشر عاماً منذ أن غادرت هذا المكان، لكن شيئاً لم يتغير. بدا المكان كما لو أن الزمن قد توقف عنده. حاولت فتح الباب المنزلق، الذي لم يكن مقفلاً، فانفتح بسرعة مصدراً صريراً خافتاً، ودخلت وهي تسير على الأرض الإسمنتية. كان الجو بارداً في الداخل، فارتجفت لشدّة برودة الهواء. سارت عبر الرواق متّجهة إلى غرفة المعيشة، فوجدت الغرفة مظلمة للغاية من دون أي أثر للحياة، وكان هذا طبيعياً، فغالباً ما تكون الغرف في المنازل اليابانية القديمة

مظلمة، لكنها شعرت أن الظلمة شديدة، والردهة هادئة تماماً باستثناء صوت صرير الخشـب بفعل وقع خطواتها على الأرض. كان مذبح العائلة في نهاية الرواق.

عندما نظرت إلى غرفة المذبح، كانت مفتوحة شرفتها، فلمحت ظهر والدها ياسـو المنحني، وقد جلس على الحافة، يتأمل الحديقة الخضراء المورقة الأشجار.

رقـدت كومـي هنـاك بصمـت وهـي مرتدية رداء أبيـض اللون، وتدلّى فوقها ثوب الكيمونو الوردي الذي ترتديه عادةً مديرة النزل. لا بدّ أن ياسو قد نهض للتو من جانبها، ليحضر القماش الأبيض الذي يُغطى به عادة وجه الموتى، ولم تكن والدتها ميتشيكو موجودة هناك.

جلست هيراي، ونظرت إلى وجه كومي، الذي كان هادئاً للغاية لدرجة أنها بدت وكأنها نائمة فحسب. همست هيراي وهي تتلمّس وجههـا بلطـف، الحمـد لله، فلو تضرّر وجههـا نتيجة الحادث، لكان جسـدها سـيلف فـي التابـوت مثل المومياء. هذا مـا فكرت فيه وهي تنظر إلى وجه كومي الجميل، وهذا ما شـغل بالها، بعد أن سـمعت أن كومي قد اصطدمت بشـاحنة ضخمة. أما الدها ياسـو فظلّ يتأمّل حديقة الفناء من دون أن يلحظ وجودها.

نادت هيراي بصوت متكلف مخاطبة ياسو الذي أولاها ظهره: «أبي...».

كان يفترض بهذه المحادثة أن تكون الأولى لها مع والدها منذ أن غادرت المنزل قبل ثلاثة عشر عاماً.

لكن ياسو ظل يدير لها ظهره، وكان رده الوحيد التنفس بعمق.

نظـرت هيـراي إلـى وجـه كومي مجدّداً، ثم نهضـت ببطء، وغادرت الغرفة بهدوء.

ذهبت إلى بلدة سـينادي، حيث جرت الاسـتعدادات لمهرجان تاناباتـا، وظلـت تمشـي حتـى الغسـق وهـي تنتعـل خفّيهـا، وتضـع أسـطوانات الشـعر على رأسـها، وترتدي قميصها القصير. اشـترت ملابس مناسـبة لترتديها في الجنازة، ثم عثرت على فندق قريب من منزلها.

في اليوم التالي، وفي أثناء الجنازة، رأت والدتها ميتشيكو التي تظاهرت بالشـجاعة إلى جانب والدها، الذي بكى منهاراً، فجلسـت مـع المعزيـن الآخريـن، بدلاً من الجلوس في الصف الأول الخاص بأفـراد العائلـة. تبادلـت النظرات مع والدتها لمرة واحدة، لكنهما لم تتحدثا إلى بعضهما إطلاقاً، سارت مراسم الجنازة بهدوء، وأشعلت هيراي البخور، ثم غادرت من دون التحدث إلى أحد.

امتـدّ عمـود رمـاد من سـيجارة هيراي، وسـقطت بصمت على الأرض، فشـاهدت الرمـاد وهـو يتسـاقط. ثم قالت فـي أثناء إطفائها للسيجارة: «نعم، هذا كل شيء».

أحنى ناغاري رأسـه، وجلسـت كوتاكي بلا حراك وهي تمسـك فنجانها بيدها.

وبقلق، نظرت كي مباشرة إلى هيراي.

نظرت هيراي إلى هذه الوجوه الثلاثة، تنهدت ثم قالت ساخطة: «أنا لا أجيد التعامل مع الآخرين في مثل هذه المواقف الجدية».

بـدأت كـي بالتحـدث: «هيـراي...» لكـن هيراي لوّحـت بيدها

لإيقافها عن الكلام.

ناشدتهم: «كفوا عن النظر إليّ بوجوهكم الحزينة هذه، وتوقّفوا عن سؤالي إن كنت بخير». بدا أن كي أرادت قول شيء، لكنها واصلت الحديث. تحدثت كما لو أنها تحاول أن تطمئن طفلاً باكياً.

«قد لا أبدو كذلك، لكنني مستاءة حقاً. لكن، هيا يا رفاق، أحتاج إلى التغلب على هذا الوضع من خلال تقديم أفضل ما لديكم، أليس كذلك؟».

كانت من الأشخاص الغريبي الأطوار: غامضة حتى النهاية. فلو كانت كي في مكانها، لكانت ستبكي طيلة أيام، ولو كانت كوتاكي مكانها، لالتزمت الصمت طيلة فترة الحداد، وحزنت حزناً شديداً لفقدانها إنساناً عزيزاً على قلبها، لكن هيراي مختلفة عن كوتاكي وكي.

قالت هيراي: «سأحزن على طريقتي، فلدى الجميع طرقهم الخاصة في الحداد». ثم وقفت، وأمسكت بحقيبة يدها وقالت: «هكذا هي الأمور». وبدأت تسير نحو الباب.

تمتم ناغاري، كما لو كان يكلم نفسه: «إذاً، لم قررت زيارة المقهى؟».

جمدت هيراي في مكانها.

سألها بصراحة وقد أولاها ظهره: «لماذا أتيت إلى هنا بدلاً من العودة إلى منزلك؟». وقفت هيراي هناك بصمت لفترة.

استدارت، وعادت إلى حيث كانت تجلس ثم أفصحت: «لقد كشفتني».

لم ينظر إليها ناغاري، بل واصل التحديق إلى زجاجة الملح التي بين يديه.

عادت إلى مقعدها، وجلست على الكرسي.

قالت كي وهي تقترب منها حاملة رسالة: «هيراي، لا تزال لدي».

ميّزت الرسالة على الفور وصاحت: «ألم تتخلصي منها؟».

كانت متأكدة تماماً من أن تلك هي الرسالة التي كتبتها لها كومي وتركتها في المقهى منذ ثلاثة أيام، وقد طلبت من كي التخلص منها من دون قراءة أي كلمة.

ارتجفت يدها عندما أمسكت بالرسالة: إنها آخر رسالة كتبتها كومي.

أحنت كي رأسها معتذرة: «لم أتخيل قطّ أنني سأعطيك إياها في ظلّ هذه الظروف».

أجابت هيراي: «لا، بالطبع لا... شكراً لك».

أخرجت رسالة مطوية بعناية من مغلف غير مختوم.

كانت محتوياتها كما توقعت؛ فلطالما كررت مثل هذه الكلمات، لكن على الرغم من أن الرسالة كانت مليئة بالعبارات المزعجة والتي اعتادت سماعها، إلا أن دمعة واحدة سقطت من عينيها.

ثم قالت وهي تجهش بالبكاء: «لم أقابلها ولا مرّة، وحدث هذا الآن. إنها الوحيدة التي لم تتخلَّ عني أبداً، لقد جاءت إلى طوكيو لرؤيتي مراراً وتكراراً.»

في المرة الأولى التي قدمت فيها كومي لزيارة هيراي في طوكيو، كانت هيراي وقتها في الرابعة والعشرين من العمر، بينما كانت كومي

في الثامنة عشـرة من العمر. لكن في ذلك الوقت، كانت كومي هي الأخـت الصغـرى المحبّـة التـي كانت تتصل بها بيـن الحين والآخر مـن دون علـم والديهـا. أمـا قبل ذلك فقد سـاعدتها فـي إدارة النزل في وقت فراغها، وهي تتابع دراسـتها في المدرسـة الثانوية. وعندما غادرت هيراي المنزل، سـلّم والداها على الفور كومي إدارة النزل. ومنـذ ذلـك الحين بدأت جهـود كومي الجبّارة لإقناع هيراي بالعودة إلـى العائلـة قبل أن تبلغ سـن الرشـد. وعلى الرغـم من كونها كانت مشـغولة دائمـاً بمسـؤولياتها الكبيـرة، إلا أنها وجـدت الوقت لزيارة طوكيو مرة كل شـهرين. في البداية، كانت هيراي تعتبر كومي أختها الصغرى المحبوبة. لذا، كانت توافق على مقابلتها والاستماع إلى ما أرادت قولـه، ولكـن فـي العامين الأخيرين، سـاءت العلاقة بينهما ما جعل هيراي تتجنّب رؤية كومي بشكل نهائي.

وخلال زيارتها الأخيرة، اختبأت عنها في هذا المقهى تحديداً، وحاولت التخلص من رسالة كومي.

أعادت الرسالة التي سلّمتها إياها كي إلى المغلف، ثم قالت:

«أعـرف القاعـدة. لا يتغير الحاضر مهما حاولت. أنا أفهم ذلك كلياً. أعيدوني إلى ذلك اليوم».

«...».

أصبـح وجـه هيـراي الآن أكثر جدية مما كان عليه في أي وقت مضى: «أتوسل إليكم!». أحنت رأسها بقوة.

ضاقـت عينـا ناغـاري أكثـر عندما نظر إلـى هيراي وهي تنحني بشدة. بالطبع، لقد تذكّر ناغاري اليوم الذي أشارت إليه هيراي، قبل

ثلاثة أيام عندما زارت كومي المقهى. وقد أرادت الآن العودة للقائها. انتظرت كي وكوتاكي بفارغ الصبر ردّ ناغاري، وقد عمّ الصمت الغرفة بشكل مخيف. استمرّت المرأة التي ترتدي الفستان الأبيض في قراءة روايتها كما لو أن شيئاً لم يحدث.

صوت وضع زجاجة الملح

وضع ناغاري زجاجة الملح على المنضدة بعنف، فتردد صدى صوتها في جميع أنحاء المقهى.

ثم ذهب إلى الغرفة الخلفية من دون أن يقول شيئاً.

رفعت هيراي رأسها، وتنفسّت بعمق، وقد أمكنها سماع صوت ناغاري وهو ينادي كازو بصوت خافت من الغرفة الخلفية.

«لكن، هيراي...».

«نعم، أعرف».

قاطعت هيراي كوتاكي حتى لا تسمع ما ستقوله، ومشت نحو المرأة التي ترتدي الفستان الأبيض.

«إذاً كما أخبرت الآخرين لتوي، هل يمكنني الجلوس هنا، من فضلك؟».

قالت كي بخوف: «هيراي!».

«هل يمكنك أن تفعلي هذا من أجلي؟ من فضلك!». تجاهلت هيراي كي وضمّت يديها معاً متوسّلة إلى المرأة كما لو أنها كانت تتضرّع إلى الله. بدا المشهد سخيفاً إلى حدّ ما، لكنها بدت جادة للغاية على الرغم من ذلك.

لكـن المـرأة التـي ترتدي الفسـتان الأبيض لـم تبـدِ أي رد فعل، ما أثار غضب هيراي التي قالت وهي تضع يدها على كتف المرأة.

« هـل تسـمعينني؟ لا تتجاهلـي طلبـي، ألا يمكنـك أن تنهضي عن الكرسي؟».

«لا! توقفي يا هيراي! لا يمكنك فعل ذلك».

«رجاءً!». لم تستمع إلى كي، بل حاولت شدّ ذراع المرأة بالقوة لتجلس على الكرسي مكانها.

صرخت كي: «هيراي، توقّفي!».

لكن في تلك اللحظة، اتّسعت عينا المرأة التي ترتدي الفسـتان الأبيض، وحدّقت إلى هيراي مباشـرة فغمرها شـعور بأنها أصبحت أثقل، وشعرت كما لو أن جاذبية الأرض قد بدأت تتضاعف، وخفتت إضاءة المقهى فجأة وبدت وكأن شـموعاً تضيء المكان، وشـراراتها تومض في مهب الريح، وبدأ يتردد صدى نواح شبح مخيف في أنحاء المقهـى، مـن دون أي إشـارة إلى المكان الـذي يصدر منه الصوت، فركعت على ركبتيها، غير قادرة على تحريك أي عضلة من عضلات جسمها.

«ما... ما هذا؟».

تنهدت كي على نحو درامي، وقالت: «حسناً، كان يستحسن أن تصغي إلى كلامي!».

كانـت هيـراي علـى درايـة بالقواعد، لكنها لـم تعلـم الكثير عن اللعنـة، ومـا عرفتـه عن القواعد هو مجموعـة معلومات جمعتها من كلام الزبائن الذين جاؤوا رغبة منهم في العودة إلى الماضي، ولكنهم

قد تخلوا عن الفكرة بعد سماع القواعد المعقدة للغاية.

صاحت: «إنها شيطان... مشعوذة!».

تدخلت كي ببرود: «لا، إنها مجرّد شبح». بدأت هيراي بتوجيه الإهانات إلى المرأة التي ترتدي الفستان وهي تركع على الأرض، لكن إهاناتها لم تجدِ نفعاً.

صاحت كازو وقد خرجت من الغرفة الخلفية: «يا إلهي!». عرفت ما حدث بمجرد إلقائها نظرة واحدة، فاندفعت عائدة إلى المطبخ، وخرجت وهي تحمل إبريقاً مليئاً بالقهوة. مشت نحو المرأة التي ترتدي الفستان الأبيض.

وسألتها: «هل ترغبين ببعض القهوة؟».

أجابتها المرأة التي ترتدي الفستان: «نعم، من فضلك». وتم إطلاق سراح هيراي. الغريب في الأمر هو أن كازو كانت الوحيدة التي استطاعت رفع اللعنة، أما ناغاري وكي فلم ينجحا في فعل ذلك.

عادت هيراي إلى وضعها الطبيعي بعد أن تحررت، وبدأت تلهث بشدة. بدت منهكة للغاية بسبب العذاب الذي مرت به للتو.

التفتت إلى كازو باكية: «حبيبتي كازو، من فضلك قولي لها شيئاً، اجعليها تنهض!».

«حسناً، أفهم ما تمرّين به يا هيراي».

«هل يمكنك فعل شيء ما؟».

نظرت كازو إلى الإبريق الذي حملته بين يديها. فكرت للحظات.

«لا يسعني معرفة إن كان هذا سينجح أم لا...».

شعرت هيراي باليأس بما يكفي لتجربة أي شيء.

توسلت وهي تضم يديها بقوّة: «أيا كان! من فضلك افعلي هذا من أجلي!».

«حسناً، دعينا نحاول ذلك». سارت كازو باتجاه المرأة التي ترتدي الفستان الأبيض، بعد أن تمكنت هيراي من الوقوف بمساعدة كي، ثم راقبتا معاً ما سيحدث.

سألت كازو مرة أخرى على الرغم من أن الفنجان لا يزال ممتلئاً: «هل ترغبين ببعض القهوة؟».

أمالت كل من هيراي وكوتاكي رأسيهما متعجبتين وغير قادرتين على معرفة ما الذي تقوم به كازو.

لكن المرأة التي ترتدي الفستان أجابت كازو التي عرضت عليها إعادة ملء الفنجان بمزيد من القهوة.

«نعم من فضلك». شربت فنجان القهوة بأكمله الذي سُكب لها قبل لحظات فقط. ثم أعادت كازو وملأت الفنجان الفارغ، ثم شرعت المرأة التي ترتدي الفستان في قراءة روايتها، وكأن شيئاً غير عادي لم يحدث.

ثم بعد ذلك مباشرة...

سألتها كازو مرة أخرى: «هل ترغبين ببعض القهوة؟». لم تلمس المرأة التي ترتدي الفستان فنجان القهوة منذ آخر مرة أعادت كي ملأه لها، بل ظل الفنجان ممتلئاً تماماً.

ومع ذلك، أجابت المرأة التي ترتدي الفستان مرة أخرى: «نعم، من فضلك». وشرعت في شرب فنجان القهوة بأكمله.

قالت كوتاكي: «حسناً، من كان ليظن...» وتغيّرت تعابير وجهها

حين أدركت ما كانت تفعله كازو.

واصلت كازو خطتها الغريبة بملء فنجان القهوة، واستمرّت تعرض عليها إعادة ملئه المرّة تلو الأخرى، قائلة: «هل ترغبين ببعض القهوة؟»، وفي كل مرة عرضت عليها ذلك، أجابت المرأة التي ترتدي الفستان الأبيض: «نعم، من فضلك». وشربت بعدها الفنجان بأكمله، لكن بعد فترة، بدت المرأة غير مرتاحة.

وبدلاً من شرب القهوة دفعة واحدة، بدأت باحتساء رشفات متتالية لإنهائه. باستخدام هذه الطريقة، تمكّنت كازو من جعل هذه المرأة تشرب سبعة فناجين من القهوة.

«تبدو غير مرتاحة على الإطلاق. لم لا ترفض وحسب؟». علّقت كوتاكي متعاطفة مع المرأة، فهمست كي في أذن كوتاكي: «لا يمكنها أن ترفض».

«لماذا؟».

«لأنه من الواضح أن عليها الالتزام بهذه القاعدة».

عبّرت كوتاكي عن اندهاشها قائلة: «يا إلهي...» لأنه لم يكن أولئك الذين يسافرون عبر الزمن هم وحدهم من اضطروا إلى اتباع القواعد المزعجة، ثم تابعت المراقبة، وحرصت على ألا يفوتها شيء. سكبت كازو فنجان القهوة الثامن، وقد ملأته حتى كاد يفيض، ما أجفل المرأة التي ترتدي الفستان الأبيض، لكن كازو العنيدة كانت مصرّة على تنفيذ خطّتها حتى النهاية.

«هل ترغبين ببعض القهوة؟».

عندما قدمت كازو فنجان القهوة التاسع، نهضت المرأة التي

ارتدت الفستان فجأة عن كرسيها.

هتفت كوتاكي بحماسة: «لقد نهضت!».

تمتمت المرأة التي ترتدي الفستان وهي تحدق مباشرة إلى كازو: «أريد الذهاب إلى المرحاض». ثم توجّهت مسرعة إلى المرحاض.

لقد تطلب الأمر بعض الوقت، لكن أخيراً شغر الكرسي، فمشت هيراي مترنّحة نحو الكرسي الذي جلست عليه المرأة التي ترتدي الفستان الأبيض وقالت: «شكراً لك». بدا أن توتر هيراي قد أثر على كل من في المقهى. أخذت نفساً عميقاً وأطلقته ببطء، ثم انزلقت على الكرسي، وأغمضت عينيها بهدوء.

لطالما لاحقت كومي هيراي، منذ كانت فتاة صغيرة، فكانت الأخت الصغيرة تتبع أختها الكبرى أينما حلّت، منادية: «أختي الكبيرة انظري إلى هذا»، «أختي الكبيرة انظري إلى ذلك».

لطالما بقي النزل القديم الذي يملكه والداها مزدحماً للغاية في كلّ المواسم. في ذاك العام عادت والدتها ميتشيكو إلى العمل بعد وقت قصير من ولادة كومي، وغالباً ما وقعت مهمة رعايتها وهي طفلة صغيرة على عاتق هيراي البالغة من العمر ست سنوات. وعندما التحقت بالمدرسة الابتدائية، كانت تحملها هيراي على ظهرها طوال الطريق، وكونها مدرسة ريفية، كان المعلمون متفهمين، فإذا بدأت تبكي في الفصل، تخرجها هيراي لتهدئتها. فقد كانت هيراي أختاً كبيرة جديرة بالثقة ويمكنها رعاية أختها الصغيرة.

علّق والدا هيراي آمالاً كبيرة عليها، فقد كانت اجتماعية ومحبوبة

بطبيعتها. وقد توقّعا أنها تصبح مديرة نزل بارعة. لكن والديها لم يعيرا شخصيتها المعقّدة اهتماماً. إذ كانت فتاة متحرّرة، تفعل ما يخطر في ذهنها من دون القلق مما يعتقده الآخرون، وهذا ما جعلها تشعر بالراحة الكافية لحمل كومي على ظهرها طوال الطريق إلى المدرسة. لم يكن لديها أي محظورات، أرادت أن تفعل الأشياء بطريقتها الخاصة، وهذا جعل والديها غير قلقين عليها، لكن روحها المرحة وشخصيّتها المتفلّتة من كل القيود أديا في النهاية إلى رفضها رغبتهما في تولي إدارة النزل كلياً.

لم تكره والديها، ولا النزل، ولكن كل ما في الأمر أنها عشقت حريتها. غادرت المنزل وهي في الثامنة عشرة من عمرها، بينما كانت كومي في الثانية عشرة. وقد تساوى يومها غضب والديها لمغادرتها المنزل، وأملهما الكبير بأنها ستصبح وريثة العائلة يوماً ما، فقطعا علاقتهما بها كلياً، لهذا كان أثر صدمة مغادرتها شديداً على والديها وعلى كومي أيضاً.

لكن كومي توقّعت مغادرتها يوماً ما. لذا عندما رحلت، لم تبكِ ولم يظهر عليها الحزن، بل تمتمت فقط عند رؤيتها للرسالة التي تركتها هيراي لها: «إنها أنانية للغاية».

وقفت كازو بجانب هيراي، وحملت فنجان قهوة أبيض وأبريقاً فضياً على صينية فضية، وقد بدا على وجهها ملامح الجدّية والهدوء.

«أنت تعرفين القواعد؟».

«أنا أعرف القواعد...».

لقد زارت كومي المقهى، وعلى الرغم من استحالة تغيير حقيقة

موتها في الحادث، جلست هيراي على الكرسي للعودة إلى الماضي، ومهما كان الوقت الذي تملكه في الماضي قصيراً، فرؤية كومي مرة أخيرة، تستحق العناء.

أومأت لها هيراي بقوة واستعدت للمرحلة التالية.

لكن على الرغم عن استعدادها، استمرت كازو في الحديث.

«يمكن للأشخاص الذين يعودون إلى الماضي لمقابلة شخص متوفّى أن ينغمسوا في هذه المشاعر، لذلك على الرغم من معرفتهم أن هناك حداً زمنياً، فإنهم يصبحون غير قادرين على الوداع. لذلك أريدك أن تأخذي هذه...» وضعت كازو عوداً صغيراً يبلغ طوله حوالى عشرة سنتيمترات في فنجان قهوة هيراي، بدا يشبه الملعقة قليلاً، التي قد تستخدم لتحريك كأس كوكتيل.

«ما هذه؟».

«يطلق هذه العود صوت إنذار قبل أن تبرد القهوة مباشرة. لذا إن سمعت صوته...».

«حسناً، أعلم، فهمت. أي شيء آخر؟».

أقلق هيراي غموض قواعد العودة إلى الماضي وتعقيداتها للقاء كومي الأخير، إذ قبل أن تبرد القهوة مباشرة قد تظن أن القهوة بردت، فتشربها بسرعة بينما يكون لديها المزيد من الوقت المتاح، وربما تخطئ في تقدير الوقت المتبقي، وتظل أكثر من المدة المسموحة، وبالتالي لا تتمكن من العودة بعد ذلك أبداً، فكان هذا العود الحلّ المناسب لتهدئة مخاوفها، والتخفيف من قلقها.

كل ما أرادت فعله هو الاعتذار، لقد بذلت كومي جهداً كبيراً

لزيارتها مراراً وتكراراً، لكن هيراي اعتبرتها مصدر إزعاج لها.

فضلاً عن الطريقة القاسية التي تعاملت بها مع كومي، كان هناك أيضاً مسألة جعل كومي وريثة عائلة تاكاكورا.

عندما غادرت هيراي المنزل وانفصلت عن أسرتها، تلقائياً أصبحت كومي وريثة العائلة الوحيدة، ولم يستغرب الجميع موافقتها، لأنها ابنة مطيعة وطيبة القلب للغاية، ولم تكن لتخيّب أمال والديها كما فعلت هيراي.

لكن ماذا لو حطمت أحد أحلام كومي بهذه التّصرفات؟

وإذا كان لديها حلم، فقد دمّرته هيراي بقرارها الأناني بالفرار، وهذا يفسّر سبب زياراتها المتكرّرة إلى هيراي وتوسّلها العودة إلى المنزل. لقد أرادت من هيراي أن تعود حتى تنال الحرية، وتتمكّن من تحقيق طموحاتها الخاصة.

إذا نالت هيراي حريتها على حساب كومي، فسيكون من الطبيعي أن تشعر بالاستياء. والآن، لا توجد طريقة للتخلص من مشاعر الندم. فكان هذا سبباً إضافياً للاعتذار لها. وإذا لم تستطع تغيير الحاضر، فعلى الأقل يمكنها أن تقول، آسفة، أرجوك سامحي أختك الكبيرة الأنانية.

نظرت هيراي إلى عيني كازو، ثم أومأت لها بحزم وثقة.

وضعت كازو القهوة أمام هيراي، بعد أن التقطت الأبريق الفضي من الصينية بيدها اليمنى، ونظرت إلى هيراي وهي تحني رأسها، وتقوم بهذه الطقوس المعتادة، فهي لم يتغيّر أسلوبها بغض النظر عن الشخص الذي جلس على ذلك الكرسي.

صمتت كازو قليلاً، ثم همست: «اشربي القهوة قبل أن تبرد».

بدأت تصب القهوة ببطء، وقد تدفّقت بهدوء من الفوهة الضيقة للإبريق الفضي كخيط أسود طويل من دون أن تصدر صوتاً. راقبت هيراي فنجان القهوة وهو يمتلئ تدريجياً، فطالت المدة التي استغرقتها لملء الكوب، ونفد صبرها. لقد أرادت العودة إلى الماضي لمقابلة أختها الصغيرة من دون أي تأخير والاعتذار لها. لكن القهوة ستبرد شيئاً فشيئاً ما إن يمتلئ الفنجان، لذا، لم يكن لديها الكثير من الوقت لتضيعه.

ارتفع البخار المتلألئ من الفنجان الممتلئ، وبدأت هيراي تشعر بالدوار يسيطر عليها وهي تنظر إليه، امتزج جسدها بالبخار الذي اجتاحها، وشعرت أنها بدأت بالارتفاع. أغمضت عينيها برفق، على الرغم من أنها كانت المرة الأولى التي تختبر فيها هذا الأمر.

زارت هيراي المقهى للمرة الأولى قبل سبع سنوات، وهي في الرابعة والعشرين من عمرها، وكانت تدير الحانة الخاصّة بها منذ ثلاثة أشهر تقريباً. وبينما كانت في أحد الأيام في نهاية الخريف، تتجوّل في الحي، مرت صدفة بالقرب من المقهى، فقررت الدخول لتفقده. ولم يكن في داخل المقهى سوى امرأة ترتدي ثوباً أبيض. بدأ الناس في ذلك الوقت من العام بارتداء الأوشحة. وعلى الرغم من ذلك، ارتدت المرأة فستاناً قصير الكمين. فجلست هيراي خلف المنضدة، وهي تفكر بأن تلك المرأة لا بدّ من أنها تشعر بالبرد بهذه الثياب الخفيفة، حتى لو كانت تجلس داخل المقهى.

نظرت في أرجاء الغرفة، لكنها لم تجد أياً من الموظفين. فعندما

رنت الجرس قبل دخولها المقهى، لم تسمع صوت أحد «مرحباً، بكم!». كما كانت تتوقّع، فهذا المقهى لا يهتمّ كثيراً بخدمة الزبائن، إلا أن ذلك لم يزعجها. لطالما أحبّت هذا النوع من الأماكن الذي لا يتبع القواعد الاعتيادية. وقرّرت الانتظار لترى إن كان سيظهر أحد العاملين قريباً. ربما قُرع الجرس في بعض الأحيان من دون أن يلاحظه أحد؟ فانتابها الفضول فجأة لمعرفة ما يحصل إن تكرّر حصول هذا الشيء كثيراً. كما أن المرأة التي ترتدي الفستان لم تلحظ وجودها حتى؛ وقد واصلت قراءة روايتها. فشعرت هيراي بأنها دخلت المقهى قبل أن يفتح أبوابه للزبائن. وبعد حوالى خمس دقائق، رنّ الجرس، ودخلت فتاة، بدت وكأنها في المدرسة الإعدادية، وقالت بشكل عرضي: «مرحباً، بك»، ومشت نحو الغرفة الخلفية من دون أن تسرع الخطى. شعرت هيراي بسعادة غامرة بسبب ما حدث، إذ وجدت مقهى لا يقدّم الخدمة السريعة للزبائن كالمعتاد، وهذا يعني الحرية. ولم تكن تتوقع متى سيتم الاهتمام بزبائن المقهى، ولكنها أحبّت هذا النوع من المقاهي التي تشعرها بأنها حرّة خلافاً للأماكن التي تتعامل مع الزبائن بالطريقة التقليدية نفسها التي يسهل التنبؤ بها. أشعلت سيجارة وانتظرت بارتياح.

بعد فترة وجيزة، خرجت امرأة من الغرفة الخلفية، بينما كانت هيراي تدخن سيجارتها الثانية. ارتدت المرأة سترة صوفية قشدية اللون وتنورة بيضاء طويلة فوقها مئزر أحمر قانٍ بلون النبيذ. كانت عيناها مستديرتين وكبيرتين.

لابد أن طالبة المدرسة قد أخبرتها أن لديهم زبوناً، لكنها دخلت

الغرفة بطريقة عادية.

لم تبدُ المرأة ذات العينين المستديرتين والكبيرتين مستعجلة، فسكبت بعض الماء في كوب ووضعته أمام هيراي. رحّبت بها وهي تبتسم كما لو أن كل شيء طبيعي، «مرحباً، أهلاً وسهلاً». قد يتوقّع الزبون اعتذاراً له بسبب الخدمة البطيئة في هذا المقهى. لكن هيراي التي لم تتوقع مثل هذه الخدمة، تعجّبت من تصرّف المرأة التي لم تظهرأي علامة على أنها تصرفت بشكل خاطئ، بل ابتسمت بدفء. لم تقابل هيراي مطلقاً امرأة أخرى غير مقيدة بالقواعد وتفعل ما يحلو لها، كما فعلت هي دائماً. لذا، نالت إعجابها على الفور. إذ تلخص شعار هيراي في الحياة بمقولة عامليهم بلؤم، لتبقيهم حريصين.

منذ ذلك الحين، بدأت هيراي ترتاد مقهى فونيكولي فونيكولا كل يوم. وفي ذلك الشتاء اكتشفت أن المقهى قد يعيد من يرغب إلى الماضي، حين أثار استغرابها ما ترتديه المرأة ذات الفستان الأبيض والقصير الكمين، وجعلها تسأل: «لا بد أنها تشعر بالبرد، ألا تظنين ذلك؟». فأوضحت كي قصة المرأة التي ترتدي الفستان، وكيفية العودة إلى الماضي عبر هذا الكرسي.

أجابت هيراي: «هل هذا صحيح؟». على الرغم من أن الرواية بدت لا تصدق، ولكن بما أنها لم تعتقد أن كي ستحيك كذبة من هذا النوع، فقد تجاهلت الأمر وقتها. وبعد ستة أشهر تقريباً انتشرت الأسطورة الحضرية المحيطة بالمقهى وازدادت شعبيته.

ولكن حتى عندما علمت هيراي قصة السفر إلى الماضي، لم تفكر أبداً بالقيام بذلك.

حتى توفيت كومي في حادث سير.

وسط الوميض، سمعت هيراي أحداً ينادي اسمها فجأة، ففتحت عينيها عندما سمعت هذا الصوت المألوف. نظرت في اتجاه الصوت، لتجد كي تقف هناك مرتدية مئزراً أحمر نبيذي اللون. أظهرت عيناها المستديرتان الكبيرتان صدمتها لرؤية هيراي، بينما جلس فوساغي في المقهى خلف الطاولة القريبة من المدخل. كان ذلك بالضبط المشهد الذي تذكره هيراي. لقد عادت إلى ذلك اليوم، اليوم الذي كانت فيه كومي حيّة.

شعرت هيراي بتسارع نبضات قلبها، عليها أن تسترخي، شعرت بالتوتر، وكأن حبالاً متينة تشدّها بقوّة، ولكنها حافظت على رباطة جأشها. تخيلت عينيها وهما تصبحان حمراوين ومليئتين بالدموع حزناً. لم يكن هذا على الإطلاق ما أرادت أن تبدو عليه عند مقابلتها لكومي، ثم وضعت يدها على قلبها، وتنفست بعمق لتهدأ.

استقبلتها كي: «مرحباً..»

فوجئت كي بظهور شخص تعرفه على ذلك الكرسي، وإن بدت مذهولة ومستغربة، خاطبت هيراي كما لو أنها المرة الأولى التي ترى فيها مثل هذا الزبون.

«ماذا... هل أتيت من المستقبل؟».

«نعم».

سألت ببراءة ومباشرة: «حقاً؟ لماذا بالله عليك؟».

في الماضي، لم تملك كي أي فكرة عما حدث، ولم تكن هيراي في موقع يسمح لها بالكذب.

«لقد أتيت لرؤية أختي». أحكمت قبضتها على الرسالة التي وضعتها في حجرها.

«تلك التي تلاحقك كي تعودي إلى المنزل؟».

«نعم هي».

«حسناً، هذا تغيير غريب! ألست أنت من يحاول تجنّبها كلما أتت؟».

حاولت هيراي قدر المستطاع الإجابة عن ذلك السؤال بمرح: «حسناً، ليس اليوم... اليوم أودّ رؤيتها». أرادت الضحك، لكن عينيها لم تكونا تضحكان، كما لم تكن قادرة حتى أن ترمشا مرة واحدة، لم تعرف أين يجدر بها أن تنظر. إذا أمعنت كي النظر إليها، فستكتشف الحقيقة في الحال. حتى الآن، علمت أن كي تشعر بحصول أمر ما.

سألتها كي بصوت خافت: «هل حدث شيء ما؟».

بقيت صامتة لفترة. ثم أجابت بنبرة غير مقنعة: «لا شيء».

يتدفق الماء من الأماكن المرتفعة نحو الأماكن المنخفضة بفعل الجاذبية. ويبدو أن العواطف تعمل وفق قانون الجاذبية نفسه. فعندما تجلس مع شخص تربطك به علاقة قويّة، شخص تعبّر له عن مشاعرك، من الصعب أن تكذب عليه أو تخفي الحقيقة التي ستستمرّ بالتدفق. هذا هو الحال عندما تحاول إخفاء حزنك وضعفك عن المقرّبين، إذ يعدّ الأسهل إخفاء الحزن عن شخص غريب أو عن شخص لا تثق به. وما إن رأت هيراي كي حتى استطاعت الوثوق بها، فشاركتها أفكارها. إذ كانت الجاذبية قوية بينهما.

لم تكن كي قادرة على تقبل ما يمكن أن تسمح له هيراي

بالتدفق، إذ يمكن لكلمة واحدة من كي قطع حبال التوتر الذي يعبّر عنه ارتجاف جسدها. في الوقت الحالي، لم تضطر كي لقول شيء لتظهر الحقيقة، فحدّقت إليها بقلق، ولكن استطاعت هيراي أن تكتشف ذلك، فتجنّبت نظراتها.

خرجت كي من خلف المنضدة، منزعجة من إحجام هيراي عن النظر إليها.

صوت ضجيج

بعد ذلك، رنّ جرس الباب.

وقفت كي مكانها، وصاحت تلقائياً: «مرحباً».

كانت هيراي تعلم تماماً أن كومي هي التي أمام الباب، إذ إن عقارب الساعة التي تتوسّط الساعتين الأخريين تشير وحدها إلى الوقت الصحيح، وهو الوقت الذي زارت فيه كومي المقهى قبل ثلاثة أيام، فاضطرّت هيراي إلى الاختباء خلف المنضدة.

يقع المقهى في الطابق السفلي من المبنى، ولديه مدخل واحد فقط، ولم يكن من سبيل للدخول أو الخروج منه إلا من عبر الدرج الذي يؤدي إلى الشارع. وكانت هيراي تتردّد إلى المقهى يومياً بعد الظهر، وقد اعتادت أن تطلب القهوة، والتحدّث مع كي قبل أن تتوجّه إلى عملها. في ذلك اليوم، نهضت من مقعدها، كونها قرّرت فتح الحانة في وقت أبكر من المعتاد. نظرت إلى الساعة التي تتوسّط السّاعتين الأخريين، وقد أشارت إلى الثالثة تماماً. لا يزال الوقت باكراً جداً على فتح الحانة، لكنها فكّرت في أن تجهّز بعض الوجبات

الخفيفة من باب التغيير، وما إن دفعت ثمن القهوة، وأوشكت على المغادرة، حتى سمعت صوت كومي في أعلى الدرج.

كانت كومي تتحدّث عبر الهاتف مع أحدهم في أثناء نزولها من الدرج، فعادت هيراي إلى المقهى مذعورة، وأسرعت للاختباء خلف المنضدة. رنّ الجرس، فلمحت هيراي كومي وهي تدخل الغرفة من مخبئها خلف المنضدة. كانت تلك قصة امتناعها عن لقاء أختها قبل ثلاثة أيام.

الآن، هيراي تجلس على ذلك الكرسي تنتظر دخول كومي التي لا يمكنها توقّع نوع الملابس التي سترتديها. فهي لم ترَ صورة وجهها منذ سنوات. حتى إنها لم تستطع تذكّر آخر مرة رأتها فيها، وهذا جعلها تدرك كم كانت أساليبها وضيعة عندما كانت تتجنّب لقاءات أختها عندما كانت تزورها. الآن، بدا أن الندم يعتصر فؤادها.

لكن في تلك اللحظة، ما كانت لتسمح لنفسها بالبكاء، فهي لم تبكِ أمام أختها قطّ، لأن هذا سيعني أن تستغرب كومي تصرّفاتها غير المعهودة، إذا انهارت أمامها الآن، وستودّ معرفة إن كان هناك خطب ما. لا شكّ أن مواجهة هذا الموقف سيجعل هيراي ستنهار. وعلى الرغم من معرفتها أن الحاضر لن يتغير، إلا أنها فكرت في أن تقول، ستتعرّضين لحادث سيارة، استقلّي القطار إلى المنزل! أو لا تذهبي إلى المنزل اليوم! لكن هذا سيكون أسوأ ما يمكن أن تقوله، وسينتهي بها الأمر إلى أن تصبح نذير موت، وهذا سيزعج كومي إلى أبعد الحدود. لذا،عليها تجنّب حدوث ذلك مهما كان الثمن، لأن زيادة معاناتها آخر ما تودّ القيام به. تنفّست بعمق محاولة تهدئة

أعصابها الثائرة.

«أختي الكبرى؟».

عند سماعها هذا الصوت، تسارعت ضربات قلب هيراي، إذ كان ذلك صوت كومي، صوتاً اعتقدتْ أنها لن تسمعه مرة أخرى، فرفعت عينيها ببطء لترى أختها عند المدخل تنظر إليها مرة أخرى.

رفعت هيراي يدها، ولوّحت بها إليها، وابتسمت ابتسامة عريضة: «مرحباً...» لقد اختفى القلق عن ملامحها عند رؤيتها. حدّقت بها كومي وهي تحكم قبضتها على الرسالة التي في حجرها.

يمكن لهيراي أن تتفهّم ارتباكها، لأنها حتى الآن، وفي كل مرة رأتها فيها، لم تبذل أي جهد لإخفاء تململها. فهي غالباً ما ادعت إصابتها بنزلة برد، وأنه وجب عليها الإسراع والمغادرة. لكن هذه المرة كانت مختلفة، نظرت إلى كومي وابتسمت لها ابتسامة عريضة خلافاً لعادتها، إذ كانت تتجنّب مبادلتها نظراتها، وها هي الآن تحدّق إليها وحسب.

«واو... هذا غريب. ما خطبك اليوم؟».

«ماذا الذي تقصدينه بقولك هذا؟».

«أعني لم يكن من السهل العثور عليك طيلة السنوات الماضية».

«أتظنّين ذلك؟».

«لا أظنّ، بل أنا متأكدة!».

قالت هيراي وهي تهزّ كتفيها: «كومي، أنا آسفة بشأن ذلك».

اقتربت منها كومي ببطء، كما لو أنها بدأت تشعر براحة أكبر نتيجة تبدّل مشاعرها وصفاء قلبها تجاهها.

سـألت كـي التـي كانت تقف خلف المنضـدة: «هل يمكنني أن أطلـب، مـن فضلـك؟ أريـد قهوة، وبعـض الخبز المحمـص، وأرزاً بالكاري وبارفيه مشكلة؟». فقالت كي وهي تلقي نظرة خاطفة على هيراي: «سأتولى الأمر».

بعد نظرتها إلى هيراي التي عرفتها بحقّ، بدت أكثر راحة وهي تدخل المطبخ.

بتردد سـألت كومي هيراي وهي تسـحب كرسـياً: «هل يمكنني الجلوس هنا؟».

أجابتها هيراي مبتسمة: «طبعاً».

ابتهجت كومي وهي تجلس ببطء على الكرسي المقابل لها.

لم تتكلما لفترة من الوقت، بل اكتفتا بالتحديق إلى بعضهما، إلا أن كومي اسـتمرّت في التململ، ولم تسـتطع الاسـترخاء. أما هيراي فظلّت تنظر إليها، وهي سـعيدة لمجرد التحديق بها، وكومي تبادلها التحديق باستغراب.

تمتمت: «إنه يوم غريب بالتأكيد».

«كيف ذلك؟».

«أشـعر، وكأننا نقوم بعمل لم نقم به منذ وقت طويل... مجرد الجلوس هنا والنظر إلى بعضنا...».

«ألم نفعل؟».

«بـالله عليـك. آخـر مـرة أتيت فيهـا لزيارتك، تركتنـي أمام باب منزلك الأمامي، ولم تسـمحي لي بالدخول. وفي مرة سـابقة، هربت مني وبقيت أطاردك. وقبل ذلك، عبرتِ الشارع لكي تتجنبي لقائي،

وقبل ذلك...».

وافقتها هيراي الرأي: «هذا مروّع للغاية، أليس كذلك؟».

كانت تعلم أن كومي يمكنها الاستمرار في التعداد إلى ما لا نهاية. إذ كان جلياً بالنسبة إليها تجنّبها لقائها بعد أن تظاهرت أنها ليست في المنزل بينما كانت أضواء شقتها مضاءة، وعندما تظاهرت أنها ثملة وسألتها: «من أنت؟». مدّعية أنها لم تتعرّف إليها.... كما لم يسبق لها أن قرأت رسائل كومي أبداً، بل اكتفت برميها كلها بما فيها رسالتها الأخيرة. كم كانت أختاً كبرى مروعة!

«حسناً، هذه طبيعتك».

تكلّمت هيراي وهي تمدّ لسانها محاولة منها تحسين حالتها المزاجية: «أنا آسفة كومي. أنا آسفة حقاً».

لم تستطع كومي ترك الأمر يمرّ من دون الإدلاء بملاحظتها، فسألت قلقة: «أخبريني الحقيقة، ما الذي يحدث؟».

«ماذا؟ ما الذي تقصدينه بسؤالك؟».

«هيا الآن، أنت تتصرّفين بغرابة».

«هل تعتقدين ذلك؟».

«هل حصل شيء؟».

أجابت هيراي: «لا... لم يحصل شيء». محاولة أن تتصرّف بشكل طبيعي قدر الإمكان.

الإحراج والقلق اللذان بدوا على وجه كومي جعلا هيراي تشعر وكأنها هي من تعيش ساعاتها الأخيرة، مثل أي شخص يمثّل في دراما تلفازية عاطفية تجد نفسها فجأة في مواجهة الموت. شعرت بعينيها

تحمرّان بسبب سخرية القدر القاسي. لم تكن هي التي ستموت. طغت عليها موجة من العواطف المتناقضة. لم يعد بإمكانها النظر إليها فأخفضت رأسها.

جلبت كي القهوة في الوقت المناسب: «ها نحن ذا...» رفعت هيراي رأسها بسرعة مرة أخرى.

قالت كومي، وهي تومئ لها برأسها بأدب: «شكراً».

وضعت كي القهوة على الطاولة وأجابت: «على الرحب والسعة». انحنت قليلاً، ثم عادت إلى خلف المنضدة.

انقطع تدفّق الكلمات بينهما. لم تعد هيراي تعرف ما عليها أن تقوله، فمنذ أن ظهرت كومي في المقهى، وهيراي ترغب في أن تعانقها بشدّة وتصرخ: «لا تموتي!». ولكن جهودها التي بذلتها لتفادي قول ذلك مكنّتها من التزام الصمت.

بدأت كومي تشعر بالقلق، عندما طالت فترة الصمت، وتململها أشعرها بعدم الراحة. ثنت الرسالة التي أحكمت قبضتها عليها في حجرها، وظلت تنظر إلى ساعة الحائط، فعرفت هيراي ما الذي تفكر به من الطريقة التي تصرفت بها.

اختارت كومي كلماتها بعناية، أحنت رأسها نحو الأسفل، بينما كانت تفكر في ما تريد قوله، على الرغم من أن الطلب كان بسيطاً. من فضلك عودي إلى المنزل، لكن توضيح ذلك كان أشبه بخوض معركة طاحنة.

صعُب عليها للغاية قول ذلك، لأنه في كل مرة كانت تذكر الموضوع على مدار السنوات العديدة الماضية، كانت هيراي ترفض

العـودة رفضـاً قاطعـاً. وفـي كل مرة رفضت فيها العـودة وقد حصل ذلك مراراً وتكراراً، أصبحت أكثر برودة، وعلى الرغم من كثرة عدد المرات التي رفضت فيها السماع لأختها، لكنها لم تعتد على سماع كلمة «لا». وإن آذى ذلك مشاعرها، وأشعرها بالحزن.

عندمـا فكّـرت هيـراي في مدى صعوبـة ما مرت به كومي مراراً وتكراراً، شعرت وكأن الألم في صدرها قد وصل إلى ذروته. لفترة طويلـة، اضطـرت كومي إلى تحمل هذه المشـاعر المؤلمة. في تلك اللحظـة، ظنـت أن هيـراي سـترفض مـرة أخـرى، وبطبيعـة الحـال، تركها هذا في حيرة من أمرها. ناضلت كل مرة بعناد لتجد الشجاعة للمحاولة. لكنها لم تستسلم أبداً. نظرت إلى الأعلى وحدّقت بجرأة إلى عيني هيراي التي لم تبعد ناظريها، بل بادلت كومي نظراتها بشكل مباشر، وأخذت نفساً قصيراً، وكانت على وشك التحدث.

أجابت هيراي: «حسناً، لا أمانع العودة إلى المنزل».

عملياً، لم يكن ذلك ردّاً متوقّعاً، لأن كومي لم تقل شـيئاً. لكن هيراي عرفت جيداً ما الذي كانت ستطلبه، ولذلك أجابت عن سؤالها المتوقّع، أريدك أن تعودي إلى المنزل!

عبّـر وجـه كومـي عن ارتباكها، وكأنها لـم تفهم ما قالته هيراي: «ماذا؟».

أجابـت هيـراي بلطف ووضوح: «حسـناً... لا أمانع العودة إلى المنزل في تاكاكورا».

بدت ملامح الصدمة على وجه كومي وعدم التصديق.

«حقاً؟».

أجابتها هيراي بنبرة اعتذارية: «لكنك تعلمين أنني لن أتمكن من تقديم المساعدة كثيراً، أليس كذلك؟».

«لا بأس، ما من مشكلة! يمكنك تعلّم العمل مع مضي الأيام، كما أن عودتك ستسرّ أبي وأمي للغاية، وأنا متأكدة من ذلك !».

«حقاً؟».

أجابت كومي: «بالطبع سيفعلان!».

فجأة، احمرّ وجهها، وانفجرت باكية.

«ماذا هناك؟».

هذه المرة كان دور هيراي لتشعر بالفزع، فقد عرفت السبب وراء دموع كومي: إذا عادت هيراي إلى تاكاكورا، فستستعيد كومي حريتها. أخيراً، أثمرت جهودها الدؤوبة على مدى سنوات، وتمكّنت من إقناع هيراي. فلا عجب أنها كانت سعيدة. لكن هيراي لم تتخيل أن الأمر سينجم عنه هذا القدر من الدموع.

تمتمت كومي، وهي تغض طرفها، ودموعها تنهمر على الطاولة: «لطالما حلمت بهذا».

نبض قلب هيراي بشدة. كان لكومي أحلامها الخاصة، فهي الأخرى أرادت القيام بشيء خاص بها، لقد سلبتها أنانية هيراي ذلك الحلم الذي يستحقّ البكاء من أجله.

اعتقدت أنها يجب أن تعرف بالضبط الحلم الذي وقفت في طريق تحقيقه.

سألت هيراي: «ما هو الحلم؟».

نظرت كومي إلى الأعلى بعينين حمراوين دامعتين، وأجابت:

«حلمي أن ندير النزل معاً». وارتسمت على وجهها ابتسامة واسعة.

لم يسبق لهيراي أن شاهدت كومي وعلى ملامحها مثل هذه الابتسامة الكبيرة.

تذكرت هيراي ما قالته لكي في مثل هذا اليوم في الماضي.

«إنها تكرهني».

«لا تريد أن ترث النزل».

«ظللت أقول لها إنني لا أريد العودة إلى المنزل، لكنها واصلت المحاولة مراراً وتكراراً. وأقل ما يمكن قوله هو أنها كانت مصرة».

«لا أريد ذلك...».

« كل شيء واضح على وجهها. ستصبح الآن مالكة نزل لا تريد إدارته بسبب فعلتي. تريدني أن أعود إلى المنزل لتنال حريتها».

«أشعر أنها تضغط عليّ».

«ارميها بعيداً!».

«يمكنني أن أتخيل ما كتبته بداخلها... الأمر صعب للغاية عليّ وأنا وحيدة. عودي إلى المنزل أرجوك. لا بأس إن تعلّمت قواعد العمل في حال مجيئك... «

قالت هيراي كل هذه الأشياء، لكنها كانت مخطئة، إذ لم تستأ منها كومي لأنها لم ترد أن ترث النزل. بل إن كومي لم تتخلَ عن محاولة إقناع هيراي بالعودة هو تحقيق حلمها، وليس لأنها أرادت نيل حريتها، أو لأنها كانت تلومها، وإنّما حلمت أن تدير النزل مع هيراي. لم يتغير هذا الحلم، ولا أختها الصغيرة التي جلست هناك أمامها والدموع تنهمر على وجنتيها. أختها الصغيرة كومي، أحبت

أختهـا الكبيـرة مـن كل قلبها. أتت مرة بعد مرة، لإقناعها بالعودة إلى العائلة، ولم تستسلم أبداً. وعلى الرغم من أن والديها تبرآ منها، ظلت كومي واثقة أن هيراي ستعود إلى المنزل. كم كانت أختها الصغيرة لطيفـة! الفتـاة الصغيرة التي تبعتها دائماً أينما ذهبت. «أختي الكبرى! أختي الكبرى!».

أحبت هيراي كومي أكثر من أي وقت مضى.

لكـن الأخـت الصغيـرة التـي كانـت تحبها رحلـت الآن. ازداد شعور هيراي بالندم. لا تموتي وتتركيني! لا أريدك أن تموتي!

نـادت هيـراي اسـمها بصـوت خافت كما لو أن لسـانها قد زل: «كـو- كومـي». أرادت إبقـاء كومـي على قيد الحيـاة، حتى لو كانت جهودها غير مجدية، لكن يبدو أن كومي لم تسمعها.

قالت كومي وهي تنهض عن كرسيها، وتذهب مبتعدة: «انتظري قليلاً، يجب أن أذهب إلى المرحاض لأصلح مكياجي».

صرخت هيراي باكية: «كومي!».

وقفـت كومـي بعـد سـماع هيـراي تصـرخ باسـمها فجـأة بهذه الطريقة. وسألتها بذهول: «ماذا؟».

لـم تعـرف هيـراي ما عليهـا أن تقوله، لم يكـن بمقدورها تغيير الحاضر مهما قالت أو فعلت.

«لا شيء، آسفة».

لم تقل الحقيقة بالطبع. لا تذهبي! لا تموتي! آسفة! سـامحيني أرجوك! لو لم تأتِ لرؤيتي لما كنتِ لتموتي!

أرادت أن تقـول الكثيـر، وأن تعتـذر عن مغادرة المنزل من دون

التفكير بمشاعرها لشدّة بأنانيتها، تاركة على عاتقها واجب الاعتناء بوالديهما، ومسؤولية تولي إرث العائلة. لم تكن لتتخيل أبداً ما الذي دفع كومي حقاً إلى القدوم لرؤيتها على الرغم من جدول أعمالها المزدحم. أرى الآن أنك عانيت من كوني أختك الكبرى. أنا آسفة. لكن لا يمكن تحويل أي من هذه المشاعر إلى كلمات. لم تفهم قطّ... لكن ماذا ستقول؟ وماذا كانت تريد أن تقول؟

نظرت إليها كومي بلطف، حتى لو لم يكن هناك شيء مرتقب، إلا أنها بقيت تنتظرها لتتحدث. لقد فهمت أنها أرادت قول شيء ما.

كم نظرتِ إليّ بلطف بعد أن عاملتك بسوء طيلة هذا الوقت. لقد تمسّكتِ بهذه المشاعر اللطيفة، وواصلتِ انتظاري لفترة طويلة. للتّمكن من تحقيق حلمك بالعمل معاً في النزل. فلم تستسلمي أبداً. لكن أنا...

بعد صمت طويل وضياعها في مشاعرها المضطربة، تمكّنت هيراي من النطق بكلمتين فقط: «شكراً لك».

لم تعرف ما إذا كان ذلك سينقل حقيقة مشاعرها. لكن في تلك اللحظة، استثمرت كل ما في داخلها لقول هاتين الكلمتين.

ارتبكت كومي للحظة، ثم ردّت بابتسامة كبيرة: «نعم، أنت بالتأكيد تتصرفين بغرابة اليوم».

قالت هيراي، وهي تستجمع قواها لتبادلها ابتسامتها: «نعم، أعتقد ذلك». بدت كومي سعيدة، هزّت كتفيها، واستدارت متوجهة إلى المرحاض.

راقبتها هيراي وهي تبتعد، اغرورقت عيناها بالدموع، شعرت

أنها لم تعد قادرة على وقف تدفق الدموع، لكنها لم تستطع. ثبّتت ناظريها على ظهر كومي، وراقبتها حتى اختفت. بمجرد أن توارت كومي عن الأنظار، أخفضت رأسها، وانهمرت دموعها من وجنتيها إلى الطاولة مثل قطرات المطر. شعرت بالحزن يتدفق من أعماق قلبها، أرادت أن تصرخ، لكنها لم تستطع إصدار أي صوت.

ستسمعها كومي إن فعلت. غطت فمها بقوة، لتمنع نفسها من الصراخ باسم أختها، وارتجف كتفاها بينما كتمت صوتها وبكت.

نادتها كي من المطبخ قلقة بسبب سلوكها الغريب.

«هيراي، هل أنت بخير؟».

بيب بيب بيب...

جاء الصوت المفاجئ من فنجان القهوة: صوت منبه التحذير فالقهوة أوشكت أن تبرد.

«يا إلهي! هذا صوت المنبه!».

فهمت كي كل شيء عندما سمعت صوت المنبه. يستخدم هذا المنبه فقط عندما يزور الزبون أحداً ميتاً.

يا إلهي... أختها الصغيرة اللطيفة...

نظرت كي إلى هيراي في الوقت الذي كانت فيه كومي في المرحاض. تمتمت بفزع: «بالتأكيد لا...».

رأت هيراي كيف حدّقت كي إليها، واكتفت بالإيماء بحزن.

بدت كي حزينة. نادت: «هيراي».

أجابتها: «أعرف. يجب أن أشرب القهوة، أليس كذلك؟».

أمسكت هيراي بفنجان القهوة.

لم تستطع أن تقول كي أي كلمة.

حملت هيراي فنجانها. تنفّست بعمق وزفرت مصدرة صوت أنين أخرج الأحزان والآلام التي تعتصر قلبها: «أريد فقط أن أرى وجهها، مرة أخرى. ولكن إذا فعلت ذلك، فلن أتمكن من العودة».

قرّبت يدا هيراي المرتجفتين الفنجان إلى شفتيها، عليها أن تشرب، تدفّقت الدموع من عينيها مرة أخرى. ومرّت برأسها بسرعة الكثير من الأفكار. لماذا حدث هذا؟ لماذا ماتت؟ لماذا لم أقل إنني سأذهب إلى المنزل مبكراً؟

توقفت يداها عن تقريب الفنجان على بعد مسافة قصيرة من شفتيها. وقالت: «لا أستطيع شربه...».

وضعت الفنجان جانباً بعد أن استنفدت قوتها تماماً، ولم يكن لديها أي فكرة عما تريد القيام به أو عن سبب عودتها إلى الماضي. كل ما عرفته أنها أحبت أختها الصغيرة، التي لم تكن تُقدّر بثمن، وها قد ذهبت الآن.

إذا شربتُ هذه القهوة الآن، فلن أرى أختي مرة أخرى. على الرغم من أنني جعلتها تبتسم أخيراً، إلا أن هذا لن يحدث مرة أخرى. ومع ذلك، عرفت أنها لن تكون قادرة على شرب القهوة بينما وجه كومي أمامها.

«هيراي!».

«لا أستطيع أن أشربها!».

تمكّنت كي من رؤية مقدار حزن هيراي. قضمت شفتها، وبدت مستاءة.

قالت بصوت مرتجف: «لقد وعدتها للتو... لقد وعدت أختك للتو، بأنك ستعودين إلى النزل أليس كذلك؟».

طُبعت ابتسامة كومي المبتهجة في جفنيها المغلقين.

«قلت إنك ستديرين النزل إلى جانبها».

تخيلت هيراي أن كومي لا تزال على قيد الحياة. وأنهما تعملان معاً بسعادة في النزل.

رنّ صوت تلك المكالمة الهاتفية في الصباح الباكر في رأسها. «لكنها...».

ومضت أمامها صورة كومي راقدة هناك وكأنها نائمة. لقد اختفت كومي.

ماذا ستفعل عندما تعود إلى الحاضر؟ بدا أنها فقدت كل رغبة في العودة. بكت كي أيضاً، لكن هيراي لم تسمع أبداً مثل هذا التصميم في صوتها: «يعني هذا أن عليك العودة، هذا يجعل للأمر أهمية أكثر من أي وقت مضى».

«كيف ذلك؟».

«ستشعر أختك بالتعاسة عندما تعلم أنك قطعت وعدك ليوم واحد فحسب؟».

نعم! كي مُحقة. أخبرتني كومي أن العمل معي هو حلمها وقد وعدتها بذلك. إنها المرة الأولى التي أرى فيها كومي سعيدة للغاية. لا أستطيع أن أتصرف وكأني لم أرَ وجهها المبتسم. لا أستطيع أن أخذلها مجدداً. عليّ العودة إلى الحاضر وإلى تاكاكورا. حتى لو ماتت كومي، لقد قطعت لها وعداً عندما كانت على قيد الحياة. وعليّ

القيام بالأمر الذي جعلها تبتسم.

أمسكت هيراي بالفنجان. لكن...

أريـد أن أرى وجـه كومـي مـرة أخـرى. كانـت تلـك معضلتها الوحيدة في الوقت الحالي.

لكن انتظار رؤية وجه كومي يعني عدم قدرتها على العودة إلى الحاضـر. أدركـت هيـراي هذا الأمر تمامـاً. ومع ذلك، وعلى الرغم من معرفتها بضرورة شرب القهوة، إلا أن المسافة بين الفنجان وفمها ظلت بعيدة.

صوت ضجيج

سـمعت صوت باب المرحاض يُفتح. في اللحظة التي سـمعت فيها هذا الصوت، سيطرت على غرائزها وشربت القهوة.

لـم تسـتطع أن تتحمـل كلفـة التـردد. وضعت مشـاعرها جانباً وفكّـرت بعقلانيـة، وشـعرت بجسـدها كلـه يتفاعل بشـكل كبير مع الزمن. في اللحظة التي شربت فيها القهوة، وعاد الدوار، وشعرت أنها تمتزج مع البخار الذي أحاط بجسـدها الآن، استسـلمت لفكرة عدم رؤية كومي مرة أخرى. لكنها عادت في تلك اللحظة من المرحاض.

كومي!

وسط هذا البخار المتلألئ، بقي جزء من هيراي في الماضي.

«أختي الكبرى؟». عادت كومي، لكنها لم تكن قادرة على رؤية هيراي. نظرت إلى ذلك الكرسي، الذي جلست عليه هيراي، وبدت الحيرة على وجهها.

كومي!

لم يصل صوت هيراي إلى مسامع كومي.

الآن التفتت كومي التي بدأت بالتلاشي إلى كي، التي وقفت خلف المنضدة وقد أولتها ظهرها.

سألتها: «عفواً، لا أعتقد أنك تعرفين إلى أين ذهبت أختي، أليس كذلك؟».

التفتت كي وابتسمت: «اضطرّت إلى المغادرة فجأة...».

عند سماع كومي هذه الكلمات، شعرت بالحيرة والقلق، لا بدّ أن أملها قد خاب، فبعد أن التقت بأختها ها هي تغادر فجأة، أخبرتها أنها ستعود إلى المنزل، لكن لقاءهما كان قصيراً جداً وودّياً، وشعورها بالقلق كان مبرّراً. تنهّدت وجلست على كرسيها، بينما كي تراقب ردّ فعلها لدى سماع هذا الخبر.

قالت كي: «لا تقلقي! قالت أختك إنها ستفي بوعدها». ثم غمزت مشيرة إلى حيث جلست هيراي، التي تحوّلت إلى بخار، وبقيت تراقب ما يحدث.

كي، أنت منقذتي! شكراً لك.

بدأت هيراي بالبكاء متأثّرة بدعم كي.

سكتت كومي للحظة، ثم سألت وقد ارتسمت على وجهها ابتسامة عريضة: «حقاً؟». ثم تابعت «حسناً، رائع! إذاً سأعود إلى المنزل الآن». انحنت بأدب، وخرجت من المقهى وهي تقفز فرحاً.

«كومي!».

رأت هيراي عبر البخار المتلألئ ابتسامة كومي عندما سمعت أن هيراي ستلتزم بوعدها.

مرّ كل شيء أمام هيراي من البداية حتى النهاية مثل فيلم تجري أحداثه بسرعة. واصلت البكاء. بكت وبكت...

في هذه الأثناء، عادت المرأة التي ترتدي الفستان الأبيض من المرحاض، ووقفت إلى جانب ناغاري، كازو، كوتاكي وكي الذين كانوا يراقبون عودة هيراي إلى الحاضر، حاضر من دون كومي.

لم تكترث تلك المرأة التي ترتدي الفستان الأبيض لعيني هيراي الدامعتين، بل قالت بفظاظة: «ابتعدي!».

قالت هيراي وهي تقفز عن الكرسي: «حسناً، بالطبع».

جلست المرأة على كرسيها، ودفعت فنجان القهوة الذي شربت منه هيراي، وتابعت قراءة روايتها، كما لو أن شيئاً لم يحدث.

حاولت هيراي من دون جدوى مسح وجهها الذي تغمره الدموع، وأطلقت تنهيدة عميقة وقالت: «لست متأكّدة من أنهما سيرحّبان بي مرة أخرى، أو سيستقبلانني بأذرع مفتوحة، كما لن يكون لديّ أدنى فكرة عن كيفية إدارة الأمور...» واصلت كلامها وهي تنظر إلى خطاب كومي الأخير الذي بين يديها «إذا عدت الآن... لا ينبغي أن يكون هناك مشكلة، أليس كذلك؟».

يبدو أن هيراي اعتزمت العودة فوراً إلى تاكاكورا، ستترك الحانة وكل شيء آخر، ستغادر وحسب. كان من طبيعة هيراي أن تتخذ قراراتها من دون الشعور بالحاجة إلى التفكير مطوّلاً في الأمور. لقد اتخذت قرارها، ولم يظهر على وجهها أي أثر للشكّ.

أومأت كي لها برأسها لتطمئنها.

أجابت بمرح: «أنا متأكّدة أن كل شـيء سـيكون على ما يرام».
ولـم تسـأل هيـراي عمـا حدث معها في الماضـي، إذ لم تكن بحاجة إلـى ذلـك. أخرجـت هيـراي 380 يناً من حقيبتها لدفـع ثمن القهوة، وناولتها لـناغاري وخرجت من المقهى، واثقة الخطى.

صوت ضجيج

خرجـت كـي برفقـة هيـراي لتوديعهـا. وقد فركـت بطنها برفق وهمست: «كم كان هذا رائعاً...!».

فـي الوقـت الـذي وضـع فيه ناغـاري ثمن القهـوة في صندوق المحاسبة، نظر بجدية إلى كي وهي تفرك بطنها.

أتساءل عما إذا كانت تستطيع نسيان الأمر؟

وقبـل أن تتغيّـر تعابيـر ناغـاري، دوّى صوت جـرس الباب في أنحاء المقهى كله.

«صوت جرس الباب»

IV

أم وطفل:

ارتبط مصطلح هيغوراشي عند ظهوره في قصائد الهايكو الغنائية بموسم الخريف. لذلك، فإن ذكر زيز الهيغوراشي يستحضر صورة صريره الصاخب أيام آخر الصيف، وإن كان يمكن سماع صرير هذه الحشرة في بدايته. بينما يستحضر صرير زيز الأبورا وزيز المين مين صورة الشمس الحارقة أيام منتصف الصيف الملتهبة. وكما أن أغنية هيغوراشي تستحضر صورة المساء أواخر أيام الصيف، عندما تبدأ الشمس في الغروب ويعمّ الظلام، يستحضر زيز الكانا- كانا- والهيغوراشي معاً الجو الكئيب، ويحثّان المرء على الإسراع في العودة إلى المنزل، ولكن نادراً ما يُسمع صوت الهيغوراشي الصاخب في المدينة.

يفضل زيز الهيغوراشي عكس زيز أبورا ومين مين الأماكن المظللة مثل الغابات، أو بساتين السرو بعيداً عن الشمس، وقد عاش بالقرب من المقهى، وعندما تبدأ الشمس بالأفول، كان يُسمع صوت الكانا-كانا المنبعث من مكان ما، يُصرصر بشكل خافت وضعيف، كما كان يمكن سماع صريره من داخل المقهى أحياناً، على الرغم

من أنه يقع في الطابق السفلي، إلا أنه كان عليك أن تفتح أذنيك جيداً لسماعه، إذ كان صوته خافتاً للغاية.

في إحدى أمسيات شهر أغسطس تردّد في الخارج صدى صوت زيز الأبورا عالياً، وأفاد مركز الأرصاد الجوية أن هذا اليوم سيكون الأكثر حرّاً هذا العام. لكن في المقهى، بقي الجو بارداً على الرغم من عدم وجود تكييف. انشغلت كازو بقراءة بريد إلكتروني أرسلته هيراي عبر هاتف ناغاري.

لقد عدت إلى تاكاكورا منذ أسبوعين، وهناك الكثير من الأعمال الجديدة التي يجب عليّ تعلمها، ما يجعلني أوشك كل يوم على البكاء، لأنّ الأمر في غاية الصعوبة.

«لا بدّ أنها تواجه الكثير من المصاعب...».

استمع ناغاري وكوتاكي إلى كازو وهي تقرأ رسالة هيراي عبر هاتف ناغاري الخلوي، لأن كازو وكي لا تحملان هاتفاً خلوياً، وقد اعتادتا تلقّي جميع رسائل البريد الإلكتروني المرسلة إلى المقهى عبر هاتف ناغاري. لم يكن لدى كازو هاتف لأنها لا تقدر على المحافظة على علاقاتها الشخصية، كما اعتبرت أن الهواتف الخلوية وسيلة اتصال تسبّب الإزعاج لحاملها. ولم يكن لدى كي هاتف لأنها تخلّت عنه عندما تزوجت، معلنة لزوجها: «هاتف واحد يكفي للزوجين». وفي المقابل، كان لدى هيراي ثلاثة هواتف، كل منها لغرض معيّن: للزبائن، للعلاقات الشخصية، وأخيراً لأفراد العائلة، وفي هاتف العائلة، كانت قد احتفظت برقم منزل عائلتها ورقم أختها كومي فقط. وقد أضافت الآن رقمين إضافيتين في هاتفها المخصّص

لعائلتها: رقم المقهى ورقم ناغاري على الرغم من جهل من في المقهى بذلك.

واصلت كازو قراءة رسالة البريد الإلكتروني بصوت عالٍ: لا تزال الأمور غريبة بعض الشيء مع والديّ، لكنني أشعر أن العودة إلى المنزل كانت الخيار الأفضل، كما أعتقد أنه إذا كان موت كومي قد أدّى إلى تعاستي أنا ووالدي، فهذه التعاسة هي إرثها الوحيد.

لذا أنوي أن أعيش الحياة من أجل الحفاظ على ما ورثته عنها تخليداً لذكراها. لابد أنك لم تعتقدي أبداً أنني أستطيع أن أكون بهذه الجدية.

أياً يكن الأمر أنا سعيدة وبصحة جيدة، أرجو أن تقومي بزيارتي إن سنحت لك الفرصة، كما أنصحك بشدة زيارة مهرجان تاناباتا العام المقبل، لأنه سبق وأقيم هذا العام. من فضلك أرسلي تحياتي إلى الجميع.

يايكو هيراي.

ضاقت عينا ناغاري أكثر من المعتاد وهو يستمع إلى مضمون الرسالة أمام مدخل المطبخ ثانياً ذراعيه، ولعلّه كان يبتسم، إذ من الصعب ظهور ابتسامته على وجهه.

قالت كوتاكي مبتسمة بسعادة: «أليس هذا رائعاً». لا بدّ أنها كانت في فترة راحة خلال إحدى الورديات، لأنها ارتدت زي الممرضة الرسمي في إحدى الصور. أظهرت كازو لكوتاكي صورة

مرفقـة بالبريـد الإلكترونـي: «مهـلاً، انظـري إلى الصورة». أمسـكت كوتاكـي بالهاتـف حتـى تتمكّـن من إلقاء نظرة فاحصـة، وقالت وقد بدت متفاجئة.

«يا للروعة، يبدو مظهرها ملائماً لهذا العمل... بالتأكيد».

ابتسمت كازو وقد وافقتها الرأي: «أليس كذلك!».

في الصورة الثانية، وقفت هيراي أمام النزل، وقد رفعت شعرها على شكل كعكة، وارتدت كيمونو وردي اللون، مما يدلّ على مكانتها المرموقة كونها مالكة تاكاكورا.

«تبدو سعيدة».

«بالفعل».

ابتسمت هيراي وكأنها لا تبالي بأي شيء في العالم، فقد ذكرت أن العلاقـة لا تـزال مضطربـة بينهـا وبيـن والديها، لكنهمـا وقفا إلى جانبها في الصورة.

تمتـم ناغـاري وهـو يحدّق إلـى الصورة من الخلـف: «وكومي أيضاً...».

«ما من شكّ أن كومي سعيدة هي الأخرى».

قالت كوتاكي وهي تنظر إلى الصورة: «نعم، أنا متأكدة من أنها كذلك». أومأت لها كازو برأسها ووقفت إلى جانبها. لم تعد تتحلى بذلك السلوك البارد الذي اتّسمت به في أثناء أداء طقوس العودة إلى الماضي، بل بدت ودودة ولطيفة.

قالـت كوتاكـي وهـي تعيـد الهاتـف إلـى كازو: «بالمناسـبة...» استدارت، ونظرت بشكل مريب إلى مكان جلوس المرأة التي ترتدي

الفستان الأبيض: «ماذا تفعل هناك؟».

لم تكن تقصد المرأة التي ترتدي الفستان الأبيض، بل فوميكو كيوكاوا التي جلست على الكرسي المقابل لها. فوميكو التي عادت إلى الماضي في الربيع، تعدّ مثالاً للمرأة العاملة، ولا بدّ أنها اليوم يوم إجازتها لأنها ارتدت لباساً غير رسمي: قميصاً أسود يغطي كمّاه ثلاثة أرباع ذراعيها، وبنطالاً أبيض، كما انتعلت صندلاً ذا أشرطة.

لم تظهر فوميكو أي اهتمام برسالة هيراي الإلكترونية، بل حدّقت إلى وجه المرأة التي ترتدي الفستان الأبيض، وقد شكّلت غاياتها لغزاً محيرً لكازو التي لم تملك أي فكرة عن هدفها.

لم تستطع كازو قول شيء سوى: «أتساءل أيضاً».

منذ الربيع، وفوميكو تزور المقهى بانتظام، وتجلس أمام المرأة التي ترتدي الفستان الأبيض.

فجأة نظرت فوميكو إلى كازو. وقالت: «المعذرة».

«نعم؟».

«هناك شيء ما يزعجني».

«ما هو؟».

«بشأن، الانتقال عبر الزمن، هل يمكن زيارة المستقبل أيضاً؟».

«المستقبل؟».

«نعم، المستقبل».

انتاب كوتاكي الفضول بعد سماعها سؤال فوميكو: «نعم، يهمّني معرفة المستقبل أيضاً».

أيّدتها فوميكو: «أليس كذلك؟!». ثم تابعت: «تتعلّق العودة إلى

الماضي أو الذهاب إلى المستقبل بالقدرة على السفر عبر الزمن. لذا، اعتقدت أنه ربما يكون ذلك ممكناً؟».

أومأت لها كوتاكي مؤيّدة كلامها.

سألت فوميكو بعينين يملؤهما الترقّب والفضول: «حسناً، هل هذا ممكن؟».

أجابت كازو بصراحة: «بالطبع، يمكنك الذهاب إلى المستقبل».

سألت فوميكو: «حقاً؟». وارتطمت بالطاولة عن طريق الخطأ لشدّة حماستها، وانسكبت قهوة المرأة التي ترتدي فستاناً أبيض، فارتعش حاجبا المرأة وبدا أنها ذعرت بشدّة، فمسحت فوميكو القهوة المراقة بمنديل ورقيّ، إذ لم ترد أن تصيبها باللعنة مرّة أخرى.

هتفت كوتاكي: «هذا مذهل!».

راقبت كازو ردّ فعل المرأتين، وأضافت ببرود: «لكن لا أحد رغب في أن يذهب».

سألت فوميكو متفاجئة: «لماذا؟». اقتربت من كازو بعصبية وسألتها: « لِمَ بحقّ الجحيم لا يفعلون؟». من المؤكّد أنها ليست الشخص الوحيد الذي استهوته فكرة السفر إلى المستقبل، وهذا ما قصدت قوله. كما أن كوتاكي أيضاً التي اتسعت عيناها، وهي تنظر باهتمام إلى كازو تريد معرفة سبب عدم رغبة أحد في السفر إلى المستقبل. نظرت كازو إلى ناغاري، ثم أعادت النظر إلى فوميكو.

«حسناً، إذا كنت تريدين الذهاب إلى المستقبل، فما الفترة التي تريدين الذهاب إليها؟».

على الرغم من أن السؤال جاء من الفراغ، ولكن بدا جلياً أن

فوميكو سبق لها أن فكّرت به.

أجابت فوميكو على الفور كما لو أنها انتظرت بفارغ الصبر أن تُسأل هذا السؤال: «بعد ثلاث سنوات من الآن». وقد أحمرّ وجهها خجلاً.

سألتها كازو ببرود: «هل تريدين مقابلة عشيقك؟».

«حسناً... ماذا لو فعلت؟». مدّت لسانها كما لو أنها تدافع عن نفسها، لكن وجهها ازداد احمراراً.

عندها قاطعهما ناغاري: «لا داعي للحرج من ذلك...».

أجابت: «أنا لم أقصد شيئاً من هذا القبيل!». لكن يبدو أن ناغاري لمس وتراً حساساً، وتبادل الابتسامات مع كوتاكي.

لم يكن مزاج كازو يسمح لها بالمزاح، وحين نظرت إلى فوميكو بتعبيرها البارد المعتاد، لاحظت فوميكو جدّيتها. فسألت بصوت خافت: «هل هذا غير ممكن؟».

تابعت كازو في رتابة، «لا، إنه ممكن... ولكن الأمر لا يتعلق بإمكان حصوله».

«لكن؟».

«كيف تعرفين أنه سيزور المقهى خلال الثلاث سنوات المقبلة؟».

بدا أن فوميكو لم تفهم الغاية من السؤال.

سألت كازو فوميكو كما لو أنها تستجوبها: «ألم تفهمي؟».

قالت فوميكو بعد أن فهمت أخيراً: «صحيح».

حتى لو سافرت عبر الزمن إلى ما بعد ثلاث سنوات، فكيف يمكنها التأكّد من أن غورو سيكون في المقهى؟

قالت كوتاكي وهي تصفّق بيديها كما لو أنها إحدى المشتركات في برنامج مسابقات: «هذه هي نقطة الخلاف، فما حدث في الماضي قد حدث، ويمكنك استهداف تلك اللحظة والعودة إليها. ولكن...».

«المستقبل مجهول تماماً!».

«بالتأكيد، يمكنك السفر إلى اليوم الذي ترغبين الذهاب إليه، ولكن ما من طريقة لمعرفة ما إذا كان الشخص الذي تريدين مقابلته موجوداً هناك.» لابدّ أن هناك الكثير من الأشخاص الذين فكّروا في الشيء نفسه، وقد دلّ على ذلك تعبير وجه كازو غير المستغرب.

أضاف ناغاري الذي أعتاد شرح هذا النوع من القواعد: «إذاً، ما دمت لا تعتمدين سوى على معجزة، فاختيارك وقتاً محدّداً في المستقبل، وسفرك إليه لتلك الفترة القصيرة أي قبل أن تبرد القهوة، يجعلان فرص مقابلة الشخص الذي تريدين مقابلته عملياً ضئيلة للغاية». أنهى كلامه محدّقاً إلى فوميكو بعينيه الضيقتين وسألها: هل فهمت ما أقوله؟

تمتمت فوميكو: «سيكون الذهاب مجرّد مضيعة للوقت؟».

«بالضبط.»

«فهمت...».

ربما كان على فوميكو أن تشعر بالحرج أكثر من ذلك، نظراً إلى مدى سطحية دافعها، لكن أذهلتها كثيراً قواعد المقهى الصارمة. لذا، لم يخطر ببالها أن تشكّك في ردّ كازو أكثر.

لم تقل شيئاً، لكنها فكرت في أنها عندما تعود إلى الماضي، لا يمكنها تغيير الحاضر، وأن الذهاب إلى المستقبل يُعدّ مجرّد مضيعة

للوقت. كم هذا منطقياً!. أستطيع أن أرى لماذا وصفت تلك المجلة السفر عبر الزمن في المقهى بأنه عديم الجدوى.

لكنها لن تتجنّب الإحراج بهذه السهولة.

ضيّق ناغاري عينيه بفضول، وقال ساخراً: «ماذا كنت تريدين أن تفعلي؟ التأكد من أنك ستتزوجين؟».

«لا شيء من هذا القبيل!».

«كنت أعرف ذلك!».

«لا! لقد أخبرتك أنه لا شيء من...!».

كلما أنكرت أكثر، زاد عمق الحفرة التي بدا أن فوميكو توقع نفسها فيها.

لكن لسوء حظّها، لم تكن لتتمكّن من السفر إلى المستقبل على أي حال، بسبب وجود قاعدة مزعجة أخرى تمنع حدوث ذلك، وهي أن الشخص الذي جلس على الكرسي للسفر عبر الزمن من قبل لا يمكنه فعل ذلك مرة ثانية. إذ يملك كل شخص فرصة واحدة فقط للسفر عبر الزمن.

فكّرت كازو في سرّها، لكنني أظن أنه سيكون من الأسهل عدم إخبار فوميكو، لأنها لاحظت أن فوميكو تحدّثت بحماسة، ولم يكن امتناعها عن توضيح هذه القاعدة لها بدافع الاهتمام بها، بل لأنها ستطلب تفسيراً منطقياً لهذه القاعدة، وكازو ببساطة، لا ترغب في أن تزعج نفسها في التوضيح.

صوت جرس الباب

«أهلاً وسهلاً!».

إنـه فوسـاغي. ارتـدى قميص بولو كحلي، وبنطـالاً بني اللون، وانتعل صندلاً. كما تدلّت حقيبة من كتفه، ولم يحمل في يده منديلاً، بل منشفة بيضاء صغيرة استخدمها لمسح عرقه. إذ كان يوماً من أكثر أيام السنة حرّاً.

«فوسـاغي!». نـاداه ناغاري باسـمه بدلاً مـن ترديد تحية الزبائن المعتادة.

في البداية، بدا فوسـاغي مرتبكاً بعض الشـيء، لكنه ردّ بإيماءة خفيفة، وذهب ليجلس على كرسيه المعتاد، خلف الطاولة القريبة من المدخل. اقتربت كوتاكي منه، ويداها خلف ظهرها.

قالت مبتسمة: «مرحباً حبيبي!». لم تعد تناديه بفوساغي كسابق عهدها.

«أنا آسف. هل أعرفك؟».

«أنا زوجتك، حبّي».

«زوجة؟... زوجتي؟».

«نعم».

«أنت تمزحين أليس كذلك؟».

«لا، أنا زوجتك حقاً!».

جلست على الكرسي المواجه له من دون تردّد، فبدا مضطرباً، ولا يدرك كيف يردّ على هذه المرأة المجهولة التي تتصرّف معه بهذه الطريقة المألوفة.

«أفضّل أن لا تتمادي في وقاحتك عبر الجلوس هنا».

«لا بأس بجلوسي هنا... فأنا زوجتك».

«لا أقبل هذا. أنا لا أعرفك».

«إذاً، عليك أن تتعرّف إليّ. هيا لنبدأ الآن».

«ما الذي تقصدينه بحقّ الجحيم؟».

«حسناً، أعتقد أنه عرض زواج؟».

بدا منزعجاً وهو يحدّق إلى هذه المرأة المبتسمة الجالسة أمامه، فطلب المساعدة من كازو، التي جاءت لتقدّم له كوباً من الماء.

«من فضلك، هل يمكنك إبعاد هذه المرأة عن طاولتي؟».

لو كانت شخصاً غريباً وألقت نظرة خاطفة عليهما، لظنّت أنهما زوجان في حالة مزاجية جيدة، لكن إذا أمعنت النظر بفوساغي، فسترى وجه رجل يمرّ بمحنة.

قالت كازو: «تبدو مستاءً قليلاً»، وهي تقدّم له الدعم عبر ابتسامة خفيفة.

«حقاً؟... حسناً».

قال ناغاري من خلف المنضدة، مقدّماً المساعدة: «ربّما من الأفضل ترك الأمر عند هذا الحدّ لهذا اليوم؟».

جرت محادثات مماثلة بين هذين الزوجين في عدة مناسبات. وفي بعض الأحيان، عندما كانت كوتاكي تخبر فوساغي أنها زوجته، كان يرفض تصديقها. لكن الغريب أن الأمر كان مختلفاً تماماً في أحيان أخرى، إذ كانت إجابته: «حقاً؟». متقبّلاً الأمر. فقبل يومين فقط، جلست أمامه، واستمتعا بالحديث معاً.

خلال تلك المحادثات، كانا يسترجعان ذكريات سفرهما معاً،

والأماكـن التـي زاراهـا، فكانت تنظر إليه وهي تبتسـم وتضيف: «لقد ذهبت إلى هناك أيضاً». انسجمت معه في المحادثات، واعتادت على هذا النوع من الحوار العفوي.

قالت: «أعتقد ذلك، سأكمل المحادثة عندما نعود إلى المنزل». وعادت إلى الجلوس خلف المنضدة، إذ استسـلمت عند هذا الحدّ الآن.

علّق ناغاري قائلاً: «لكنك تبدين سعيدة بالوضع».

«أجل، أظنّ ذلك».

على الرغم من برودة المقهى، اسـتمر فوسـاغي بمسـح قطرات العرق عن وجهه.

ثم أخرج مجلة السفر من حقيبته، وفتحها على الطاولة، وقال: «قهوة، من فضلك».

أجابت كازو مبتسـمة: «حسـناً»، ثم توجّهت إلى المطبخ. ومرة أخـرى، تقدّمـت كوتاكـي إلى الأمام مسـندة خديها إلـى كفّيها وهي تحـدق إلـى فوسـاغي، الـذي نظـر إلـى المجلـة، غافلاً حقيقـة أنها كانـت تراقبـه. وفـي أثنـاء مشـاهدة هـذا الثنائي، بدأ ناغـاري بطحن القهـوة مسـتخدماً مطحنة قهوة قديمـة الطراز. أما المرأة التي ترتدي فستانها الأبيض فتابعت قراءة روايتها كالعادة. وقد فاحت رائحة البن المطحـون الطـازج فـي أرجاء المقهى. وحين عـادت كي من الغرفة الخلفية، جمد ناغاري عندما رآها.

قالـت كوتاكي عندمـا رأت بشـرة كي بقلق: «يـا للهول!». بدت شاحبة للغاية، وصفراء اللون، وقد مشت مترنّحة وكأنها على وشك

أن تفقد الوعي.

سألها ناغاري بقلق: «هل أنت بخير؟». بدا الخوف واضحاً عليه، وكأن الدم قد جفّ في عروقه.

صاحت كازو من المطبخ: «يا إلهي، أعتقد أنه من الأفضل أن ترتاحي اليوم، يا أختي».

أجابتها كي: «لا، أنا بخير، لا داعي للقلق». وحاولت جاهدة أن تبدو أفضل حالاً، لكنها لم تستطع إخفاء إرهاقها وتعبها.

قالت كوتاكي وهي تنهض عن كرسي المنضدة في أثناء تفحّصها لوضع كي: «لا يبدو أنك على ما يرام اليوم، يجب أن تستريحي، ألا تعتقدين ذلك؟».

لكن كي هزّت رأسها، وقالت بإصرار رافعة إشارة السلام بيدها: «لا، أنا حقاً بخير».

ولكن من الواضح أنها لم تكن بخير.

ولدت كي ضعيفة القلب.، وقد أمرها الأطباء بالابتعاد عن القيام بأي نشاط بدني قاسٍ، لذلك لم تقدر على المشاركة في الألعاب الرياضية عندما كانت تلميذة في المدرسة. ومع ذلك، كانت فتاة اجتماعية، ذات روح مندفعة، وتعشق الاستمتاع بالحياة، ولطالما اعتبرت هيراي أن هذه إحدى مواهب كي للعيش بسعادة.

إذا كنت غير قادر على القيام بتمارين قاسية، فلا بأس بذلك، سأبتعد عن هذه التمارين القاسية. هكذا كانت تُفكّر.

وكانت بدلاً من مجرد الجلوس خارج السباقات خلال حصص الرياضة، تطلب من أحد الأولاد أن يدفعها على كرسي متحرّك، ولكن

بالطبع، لم تتح لهما فرصة الفوز أبداً، لكن كان يكفيهما أنهما قدّما كل ما في وسعهما، وإن بدت عليهما خيبة الأمل الشديدة عند خسارتهما. وفي صفّ الرقص، كانت تتحرّك ببطء خلافاً للطلاب الآخرين الذين كانت حركاتهم مليئة بالحيوية والاهتزازات والخطوات السريعة. إن القيام بالأشياء على نحو يختلف عن أي شخص آخر من شأنه أن يثير عداوة أولئك الذين يحرصون على عرقلة سير أي شخص مختلف عنهم ليسير عكس التيار، ولكن لم يفكر أحد بهذه الطريقة مع كي، إذ كانت صديقة الجميع.

كان لها تأثير على الناس، ولكن بغض النظر عن قوة إرادتها وشخصيتها الفذّة، غالباً ما كان يتدهور حال قلبها. ولطالما أُخرجت كي من المدرسة، ونُقلت إلى المستشفى لتلقي العلاج، حيث التقت ناغاري.

كانت تبلغ من العمر سبعة عشرة عاماً وفي سنتها الثانية من المرحلة الثانوية. لطالما بقيت سجينة فراشها، وهي في المستشفى، لذلك استمتعت بالمحادثات التي أجرتها مع زوارها والممرضات اللواتي أتين إلى غرفتها. كما كانت تستمتع أيضاً بالتحديق إلى الخارج من وراء نافذتها. ذات يوم، بينما كانت تتأمّل حديقة المستشفى عبرالنافذة، لفت نظرها رجلاً ملفوفاً بالكامل بضمادات من رأسه حتى أخمص قدميه.

لم تستطع أن ترفع عينيها عنه، فهو لم يلفت نظرها لأنه ملفوف بالضمادات فقط، بل لضخامة جسمه الذي لم يسبق لها أن رأت بحجمه. وعندما مرت فتاة صغيرة أمامه بدت هزيلة للغاية مقارنة به.

ولـم يكـن مـن اللائـق ما أقدمت عليه كي لاحقـاً، لأنها أطلقت عليه اسـم الرجـل الموميـاء، وقد اعتادت مراقبته طـوال اليوم من دون أن تشعر بالملل.

أخبرتها إحدى الممرضات أن الرجل المومياء دخل المستشفى بعـد تعرضـه لحـادث سـير، حين كان يعبر الطريـق عند تقاطع حيث حصـل تصـادم بين سـيارة وشـاحنة أمامه. ولحسـن الحـظ، نجا من الاصطـدام لكـن طرف الشـاحنة قذفه نحو عشـرين متـراً وألقاه على نافذة متجر. كان ضرر السيارة طفيفاً ولم يصب أي من الركاب بأذى. ولكـن، الشـاحنة تجـاوزت الرصيف وانقلبت، ولـم تصب أحداً من المارة سـواه. ولو حدث الشـيء نفسـه لشـخص ما ذي بنية ضعيفة، لـكان لقـي حتفـه حتماً، لكن سـرعان ما نهض هـذا الرجل الضخم، وكأن شيئاً لم يحدث. بالطبع، كان ذلك بعيداً عن الواقع، إذ أصيب إصابـة بليغـة، ونـزف الكثيـر من الدماء، ولكن على الرغم من سـوء حالتـه، سـار مترنّحـاً نحو الشـاحنة المقلوبة وهو يصـرخ: «هل أنت بخير؟». إذ تسـرّب الوقود من الشـاحنة، وفقد السـائق وعيه، فسحب الرجل الضخم السـائق من داخل الشـاحنة، وحمله على كتفيه، وهو يدعو أحد المتفرجين على الحادث قائلاً: «اتصل بسيارة الإسعاف!». عندمـا جاء المسـعفون، نقلوا المصـاب والرجل الضخم أيضاً الذي كان يعانـى مـن نزيـف شـديد، إلـى جانب الجـروح والكدمات التي ملأت جسده، ولكنه لم يعانِ من أي كسور.

بعد سماع قصة الرجل المومياء، ازداد اهتمام كي به، ولم يمضِ وقت طويل حتى تحوّل هذا الاهتمام إلى إعجاب. وسرعان ما أصبح

حبّها الأول.

ذات يوم، ومن دون سابق إنذار ذهبت لمقابلته، وعندما وقفت أمامه، بدا أكبر حجماً مما تخيّلته. كان الأمر أشبه بالوقوف أمام جدار شاهق. وقالت من دون تحفّظ أو حرج: «أعتقد أنك الرجل الذي أريد الزواج منه». قالت ذلك بشكل واضح ومباشر للرجل المومياء - فكانت أولى الكلمات التي قالتها له على الإطلاق.

نظر إليها الرجل المومياء، ولم يقل شيئاً. ثم ردّ عليها بعفوية، من دون أن يكون ردّه سلبياً.

«عليك العمل في مقهى إن أردت الزواج مني».

بعد ذلك، استمرّت لقاءاتهما ثلاثة سنوات، وأخيراً عندما بلغت كي العشرين من عمرها وناغاري الثالثة والعشرين، وقّعا الأوراق الرسمية، وأصبحا زوجاً وزوجة.

وقفت كي خلف المنضدة، وبدأت تجفف الأطباق وتضعها في مكانها، كما اعتادت أن تفعل، وصوت غليان السيفون يُسمع من المطبخ. أما كوتاكي فواصلت النظر إلى كي بقلق، وكازو تسلّلت إلى المطبخ، وعاود ناغاري طحن حبوب البن. لسبب ما، من دون علم الجميع، واصلت المرأة التي ترتدي الفستان الأبيض التحديق إلى كي.

صاحت كوتاكي مباشرة عند سماع صوت تكسّر الزجاج: «يا إلهي!».

لقد سقط الكوب من يد كي.

«أختي!». هل أنت بخير؟». جاءت كازو مسرعة ومذعورة. عادة تكون هادئة جداً مهما يكن الظرف صعباً.

قالت كي: « أنا آسفة». وبدأت بالتقاط الزجاج المكسور.

قالت كازو وهي ترفع كي التي كانت تجثو على ركبتيها: اتركيه يا أختي، سألتقط الزجاج أنا».

لم ينطق ناغاري بكلمة، واكتفى بالمشاهدة.

لم يسبق لكوتاكي أن رأت كي في مثل هذه الحالة الحرجة. فهي تعاملت مع المرضى طوال الوقت كونها ممرضة، لكن رؤية صديقتها وهي مريضة للغاية صدمتها لدرجة أن الدم جفّ في عروقها.

تمتمت: «كي، حبيبتي».

سألتها فوميكو: «هل أنت بخير؟».

لفت هذا انتباه فوساغي بطبيعة الحال، فرفع رأسه.

«أنا آسفة».

نصحت كوتاكي زوجها قائلة: «أظن يجب نقل كي إلى المستشفى».

«لا، سأكون بخير...».

هزّت كي رأسها بعناد، لكن صدرها بدأ يضيق وهي تتنفس بصعوبة. فبدت حالتها أسوأ مما كانت تعتقد. لم يقل ناغاري شيئاً، بل ظلّ يحدّق بحزن إلى زوجته.

تنفّست كي بعمق، وقالت: «أعتقد أنه من الأفضل أن أستلقي». وشقّت طريقها في اتجاه الغرفة الخلفية، فلاحظت من ملامح ناغاري أنه يشعر بالقلق الشديد.

قال ناغاري وهو يتبعها: «كازو، اعتني بالمقهى من فضلك».

أجابت كازو وهي تقف مكانها بثبات، وبدا أنها شاردة: «نعم، بالتأكيد».

«قهوة، من فضلك».

«المعذرة!».

من الواضح أن فوساغي نفد صبره، وبدأ يعضّ لسانه منتظراً تقديم طلبه، أعاد طلبه المستعجل للقهوة مرة ثانية كازو إلى الواقع. لقد انشغلت بـ كي، ولم تقدّم القهوة لفوساغي بعد.

وانتهى اليوم في ظلّ استمرار هذا الجو المثقل بالهموم.

منذ أن حملت كي، تحدثت إلى طفلها كلما أتيحت لها الفرصة. وفي الأسابيع الأربعة الأولى، كان من المبكر أن يُطلق اسم على جنين في رحم أمه، لكن ذلك لم يمنعها من فعل ذلك، فكانت تبدأ كل صباح بعبارة «صباح الخير»، وفي أثناء تحدّثها إلى ناغاري تدعوه باسم «بابا»، كان شعورها بالسعادة لا يوصف وهي تخبر طفلها أحداث اليوم، وقد اعتبرت أن هذه المحادثات مع طفلها أهم وأجمل ما في حياتها.

«هل يمكنك أن ترى؟ إنه والدك!».

«أبي؟».

«نعم!».

«إنه ضخم!».

«نعم، لكنه لا يتمتّع بجسم ضخم وحسب، بل لديه قلب كبير أيضاً! إنه أب لطيف ومحبّ للغاية».

«هذا رائع! لا يسعني الانتظار».

«لا يطيق والداك انتظار رؤيتك يا عزيزي!».

استمرت هذه النقاشات التي لعبت فيها كي الدورين معاً، لكن الحقيقة المحزنة هي أن حالة كي ازدادت سوءاً مع تقدّم أسابيع حملها. فخلال الأسبوع الخامس، يتكوّن كيس داخل الرحم بقياس مليمتر واحد أو مليمترين، حيث ينمو الجنين بداخله، وما إن تظهر نبضات قلب الجنين، تبدأ الأعضاء في التكوّن بسرعة: العينان، الأذنان، الفم، المعدة، والأمعاء، والرئتان، والبنكرياس، والأعصاب الدماغية والشريان الأورطي، ثم تبدأ اليدان والقدمان في الظهور. كانت لجميع هذه التطورات تأثيرات جسدية سيئة على كي.

ارتفعت حرارة كي، وشعرت وكأنها مصابة بالحمى، كما جعلتها الهرمونات التي يفرزها جسدها لتكوين المشيمة تشعر بالخمول، وتواجه موجات قوية من النعاس المفاجئ. وقد أثر الحمل على مزاجها الذي تأرجح بين القلق، والغضب حيناً، والاكتئاب حيناً آخر. وكانت هناك أوقات بدا فيها مذاق بعض الأشياء مختلفاً عن المعتاد.

على الرغم من ذلك، لم تشتكِ أبداً من أوجاعها الجسدية لأنها اعتادت على زيارة المستشفى منذ كانت طفلة. لكن خلال اليومين الماضيين، ساءت حالتها بسرعة.

منذ يومين، استغل ناغاري فترة استراحته للقاء طبيبها وطالبه بمزيد من المعلومات، فقال له:

«بصراحة، من الممكن أن لا يتحمّل قلب زوجتك الحمل، وسيبدأ غثيان الصباح في الأسبوع السادس. لذا، ستحتاج إلى دخول

المستشفى إذا أصيبت بنوبة قوية من غثيان الصباح. وإن اختارت أن تنجب الطفل، فيجب عليها أن تدرك أن احتمال نجاتها هي وطفلها ضئيلة للغاية، وحتى لو نجت هي وطفلها من الولادة، فسيتعرض الطفل لمضاعفات بالغة، كما عليها أن تدرك أن ذلك سيقصّر بالتأكيد من أمد حياتها».

أضاف: «تُجرى عمليات الإجهاض عادة ما بين الستة أسابيع والاثني عشر أسبوعاً. وفي حالة زوجتك، إذا اختارت الإجهاض، فيجب إجراؤها في أقرب وقت ممكن...» عندما عاد ناغاري إلى المنزل واجه كي وأخبرها بكل ما علمه.

أومأت كي له، بعد أن أنهى كلامه.

أعرف كل ما قلته.

جلس ناغاري خلف المنضدة وحيداً بعد أن أغلق المقهى، وقد أضاءت الغرفة مصابيح الحائط فقط، واصطفّ على المنضدة عدد من الطيور الورقية الصغيرة، التي صنعها ناغاري من منديل ورقي مطوي، فساد المقهى الصمت التام، وبدا كان كل شيء ساكناً باستثناء الصوت الذي يمكن سماعه، وهو دقّات ساعات الحائط، وحركة يد ناغاري على المنضدة.

صوت جرس الباب

لم يبدِ ناغاري أي ردّ فعل على الرغم من سماعه صوت الجرس، واكتفى بوضع الطائر الورقي الذي انتهى من طيّه على المنضدة مع البقية. دخلت كوتاكي إلى المقهى، بعد أن قررت أن تمرّ في طريق

عودتها إلى المنزل للاطمئنان على كي.

أومأ ناغاري لها برأسه قليلاً، وهو يحدّق إلى الطيور الورقية على المنضدة.

وقفت كوتاكي عند مدخل المقهى وسألته: «كيف حال كي؟». اكتشفت أنها حامل في وقت مبكر، لكنها لم تعتقد أبداً أن ذلك سيؤدي إلى تدهور حالتها الصحية بهذه السرعة. بدت قلقة تماماً كما كانت في وقت سابق من ذلك اليوم.

لم يرد ناغاري على الفور. بل تناول منديلاً، وأخذ يطويه.

أجابها بعد برهة: «إنها تتدبّر أمورها بطريقة ما».

جلست كوتاكي خلف المنضدة، وقد تركت بينهما كرسياً فارغاً.

حكّ ناغاري طرف أنفه، ثم قال وهو يومئ برأسه معتذراً: «آسف لأنني أقلقتك».

«لا داعي للقلق بشأن ذلك... لكن ألا يجب أن تكون في المستشفى؟».

«أخبرتها بذلك، لكنها لا تستمع لي».

«نعم، ولكن...».

انتهى من طيّ الطائر الورقي وحدّق إليه.

تمتم بصوت خافت: «لقد عارضت إنجابها لهذا الطفل». ولو لم يكن المقهى صغيراً وهادئاً، لما سمعته كوتاكي. قال وهو ينظر إلى كوتاكي بابتسامة خفيفة، «لكن لا شيء سيغيّر رأيها». بعدها حدّق إلى الأرض.

لقد أخبر كي أنه «عارض» إنجابها للطفل، لكنه لم يكن قادراً

على أكثر من ذلك. لم يستطع قول «لا تنجبي الطفل» أو «لا أريدك أن تنجبـي الطفـل». لم يسـتطع الاختيار بينهمـا، أو تفضيل حياة كي على الطفل أو تفضيل حياة الطفل على كي.

لـم تعـرف كوتاكـي ما عليهـا قوله، نظرت إلى مروحة السـقف التي دارت بهدوء.

وافقته الرأي قائلة، «هذا صعب».

خرجت كازو من الغرفة الخلفية.

همست كوتاكي: «كازو...».

لكن كازو تجنّبت النظر إلى كوتاكي ونظرت إلى ناغاري، فلم تكن غامضة كعادتها، كما بدت حزينة ويائسة.

سألها ناغاري: «كيف حالها؟».

نظرت كازو نحو الغرفة الخلفية، فتبعها ناغاري بعينيه، فشـاهد كي تقترب ببطء، وهي لا تزال شاحبة البشرة، وتمشي مترنّحة بعض الشـيء، لكنها بدت وكأنها أكثر سـيطرة على نفسـها. وقفت خلف المنضـدة أمـام ناغـاري وحدّقـت إليه، لكنه لم يبادلهـا النظرات، بل حدّق إلى الطيور الورقية على المنضدة. لم يتحدث أي من ناغاري أو كي، فأصبح الجو غير مريح نتيجة الصمت المطبق، وازداد الوضع سـوءاً مع مرور الوقت، فشـعرت كوتاكي بأنها غير قادرة على التفوّه بأي كلمة.

دخلت كازو المطبخ، وبدأت بإعداد القهوة، فوضعت المرشّح في القمع، وصبّت الماء الساخن في القارورة. ونتيجة الهدوء الذي عـمّ المقهـى، كان مـن السـهل معرفة ما الذي انشـغلت كازو بفعله،

على الرغم من أنهما لم يستطيعا رؤيتها، وسرعان ما بدأت محتويات القارورة في الغليان، فسُمع صوت الماء الساخن يصعد إلى القمع. بعد دقائق، فاحت رائحة القهوة الطازجة في أرجاء المقهى، فنظر ناغاري إلى الأعلى كما لو أن الرائحة أعادته إلى الواقع.

تمتمت كي: «أنا آسفة، ناغاري».

سأل ناغاري وهو يحدّق إلى الطيور الورقية: «لماذا؟».

«سأذهب إلى المستشفى غداً»

«...».

أقنعت كي نفسها بكل كلمة نطقت بها، كما لو أنها تحاول أن تصلح ما أفسدته بعد صراع طويل مع نفسها: «سأدخل المستشفى، وبصراحة، فور دخولي إلى المستشفى، لا أظن أنني سأعود إلى المنزل مرة أخرى. إنه قرار لم أكن قادرة على اتّخاذه...».

شدّ ناغاري قبضتيه بإحكام: «فهمت».

رفعت كي رأسها وحدّقت بعينيها المستديرتين الكبيرتين إلى السقف، قالت وقد اغرورقت عيناها بالدموع: «لكن يبدو أنني لا أستطيع الاستمرار على هذا النحو بعد الآن.

استمع ناغاري بهدوء.

«لن يستطيع جسدي التحمّل...».

وضعت كي يديها على بطنها، والذي لم ينتفخ حتى الآن ولو قليلاً، وقالت مبتسمة: «يبدو أن إنجاب هذا الطفل سيضعف كل ما...».

إنها تعرف قدرة جسدها أكثر من أي شخص آخر.

«لذلك...».

نظر إليها ناغاري بعينيه الضيقتين: «حسناً». كان هذا كل ما أمكنه قوله. «عزيزتي، كي...».

لم يسبق لـكوتاكي أن رأت كي منزعجة إلى هذا الحدّ، وبصفتها ممرضة، فهمت الخطر الحقيقي الذي تواجهه، وهي تحاول إنجاب طفل بينما تعاني من مرض في القلب. فقد أصبح جسدها ضعيفاً إلى هـذه الدرجـة مـن دون أن تصـل حتى إلى مرحلة غثيان الصباح. ولو اختارت عدم إنجاب الطفل، فلن يلومها أحد، لكنها قررت المضي قدماً.

تمتمـت كـي بصوت مرتجف: «لكنني خائفة جداً، أتسـاءل هل سيكون طفلي سعيداً».

تحدّثـت إلـى طفلها كما اعتادت أن تفعل: «هل سـيكون طفلي وحيداً بلا أم؟ هل سيجعلك ذلك تبكي؟ قد لا أقدر أن أكون معك بعد ولادتك، هل ستسامحني؟».

أصغت جيداً، لكن لم يأتها أي جواب.

تدفّق سيل من الدموع على وجنتيها.

قالـت وهـي تنظر مباشـرة إلى ناغـاري: «أنا خائفة... فكرة عدم وجـودي مـع طفلـي مخيفـة. لا أعرف مـاذا عليّ أن أفعـل. أريد أن يكون طفلي سعيداً. كيف يمكن لهذه الأمنية البسيطة أن تكون مخيفة للغاية؟».

بقـي ناغـاري صامتاً. واكتفى بالتحديق إلى الطيور الورقية على المنضدة.

أغلقت المرأة التي ترتدي الفستان الأبيض روايتها، ولم تكن قد انتهت منها بعد:إذ وضعت إشارة بيضاء ذات شريط أحمر مربوط بها بين الصفحات. التفتت كي إليها عند سماعها صوت إطباق الرواية، فكانت المرأة تحدّق إليها، وقد واصلت التحديق إليها طويلاً.

غمزت المرأة التي ترتدي الفستان بعينها بلطف، في أثناء تحديقها إلى كي، ثم نهضت بخفّة عن كرسيها. كان الأمر كما لو أنها أرادت إيصال رسالة خفيّة عبر تلك الغمزة، لكنها سارت خلف ناغاري وكوتاكي، واختفت داخل المرحاض كما لو أن شيئاً في الداخل كان قد جذبها.

أصبح الكرسي شاغراً الآن.

بدأت كي بالاقتراب من الكرسي كما لو أن شيئاً جذبها إليه، وعند وصولها إلى الكرسي الذي يمكنه أن يرسل المرء إلى الماضي، وقفت أمامه وحدّقت إليه.

نادت بصوت خافت: «كازو... هل يمكنك تحضير بعض القهوة من فضلك؟».

عند سماعها طلب كي، أخرجت كازو رأسها من المطبخ، ورأتها تقف بجانب ذلك الكرسي، ولم يكن لديها أي فكرة عما يدور في ذهن كي.

استدار ناغاري ورأى ظهر كي. قال: «بالله عليك... هل أنت جادّة؟».

اكتشفت كازو أن المرأة التي ترتدي الفستان قد اختفت، وتذكّرت المحادثة التي جرت في وقت سابق حول السفر عبر الزمن،

حين سألتها فوميكو كيوكاوا: «هل يمكنك زيارة المستقبل أيضاً؟».

كانت أمنية فوميكو بسيطة: أرادت أن تعرف هل سيعود غورو من أميركا بعد ثلاث سنوات أم لا، وإن كانا متزوجين. فأخبرتها كازو سابقاً أن ذلك ممكن، ولكن لم يقرر أحد الذهاب لأن الأمر عديم الجدوى. وهذا هو بالضبط ما أرادت كي أن تفعله.

« إلقاء نظرة واحدة على المستقبل هو كل ما أرادته».

«انتظري».

«إذا تمكّنت من رؤية المستقبل للحظة واحدة، فسيكون ذلك كافياً...».

سأل ناغاري بلهجة صارمة أكثر من المعتاد: «هل أنت جادّة بالذهاب إلى المستقبل؟».

«هذا كل ما يمكنني فعله...».

«لكنك لا تعرفين ما إذا كنت ستتمكّنين من لقائه؟».

«...».

«ما الغاية من السفر إلى المستقبل ما لم أتمكّن من رؤيته؟».

«أفهم ذلك، لكن...».

نظرت كي بتوسّل إلى عيني ناغاري.

لكنه لم يتمكّن من نطق سوى كلمة واحدة: «لا». وأدار ظهره وانسحب في صمت.

لم يسبق لناغاري أن وقف في طريق كي عندما كانت ترغب في القيام بأمر ما، بل احترم إصرارها وتصميمها، ولم يعارض يوماً أي قرار تتخذه، إلا حين يعرّض ذلك حياتها للخطر، فإنجاب طفل

مثلاً، جعله يعترض بشدّة.

فلم يهتم ما إذا كانت ستنجب طفلها أم لا، بل ما أقلقه أنها إذا ذهبت إلى المستقبل، واكتشفت أن الطفل غير موجود، فإن قوتها التي تمنحها القدرة على الاستمرار ستُسحق.

وقفت كي أمام الكرسي، ضعيفة ويائسة، ولكنها لم تستطع أن تنكث بوعدها، كما لم تتمكن من التراجع من أمام هذا الكرسي. فقالت كازو فجأة: «أريد منك أن تقرري عدد السنوات التي تريدين تخطّيها في المستقبل».

انزلقت إلى جانبها، وأزالت فنجان القهوة الذي كانت تشرب منه المرأة التي ترتدي الفستان الأبيض.

سألت كي: «كم سنة؟ وما اليوم والشهر؟». نظرت مباشرة إلى عيني كي وأومأت إيماءة صغيرة.

صاح ناغاري بأعلى نبرة أمكنه حشدها: «كازو!». لكن كازو تجاهلته، وأجابت بتعبيرها البارد المعتاد: «سأتذكّر، سأحرص على مقابلة...».

«كازو، حبيبتي».

وعدتها كازو بأنها ستتأكد من وجود طفلها في المقهى في الوقت الذي ستختار الذهاب فيه إلى المستقبل. قالت: «لذلك لا داعي للقلق». حدّقت كازو إلى عينيها، وأومأت لها إيماءة صغيرة.

شعرت كازو بأن التدهور في حالة كي خلال الأيام القليلة الماضية لم يكن بسبب الحمل وما يرافقه من التغيرات الجسدية فقط، بل كان سببه أيضاً الإجهاد الذي يسببه الخوف على مستقبل طفلها.

فهـي لـم تخـف من المـوت، بل أقلقها وأحزنها فكـرة عدم وجودها لرؤية طفلها يكبر، فأضعف ذلك قلبها، وخارت قوتها الجسدية. ومع تلاشي قوتها، نما شعورها بالقلق. قد يقول المرء إن السلبية هي غذاء المرض. لذا، خشيت كازو من اشتداد مرض كي أكثر، لأن حالتها ستستمر في التدهور مع تقدّم الحمل وقد تفقد حياتها وحياة طفلها.

عاد بصيص، من الأمل إلى عيني كي.

يمكنني مقابلة طفلي.

كان أمـلاً صغيـراً للغايـة. التفتت لتلقي نظرة على ناغاري الذي جلس خلف المنضدة، فالتقت أعينهما.

بقـي صامتـاً للحظـة، لكنـه أطلق بعدها تنهيـدة قصيرة، والتفت بعيداً، ثم خاطبها قائلاً: «افعلي ما يحلو لك». وأدار كرسيه، فأصبحت خلف ظهره الآن.

قالت: «شكراً لك».

بعـد التأكّـد مـن أن كـي كانت قادرة على الانـزلاق بين الطاولة والمقعد، تناولت كازو الكوب الذي استخدمته المرأة واتجهت نحو المطبـخ. فتنفّسـت كي بعمق، وجلسـت ببطء وهـدوء على المقعد، وأغلقـت عينيهـا. بينمـا شـبكت كوتاكي يديها معـاً كما لو أنها كانت تصلي، وظلّ ناغاري يحدّق بصمت إلى الطيور الورقية أمامه.

كانـت هـذه المـرة الأولى التي رأت فيها كي كازو وهي تتحدّى إرادة ناغاري. فخارج جدران المقهى، نادراً ما شعرت كازو بالراحة وهي تتحدّث إلى أي شخص غريب لم تقابله من قبل. فقد ارتادت جامعة طوكيو للفنون، لكن لم تلحظ كي أبداً تسكّعها مع أي شخص

مـن زملائهـا، إذ لطالمـا كانـت منعزلـة، وقد عملت فـي المقهى في أوقـات فراغهـا، وكانـت تدخل إلـى غرفتها بعد إتمـام عملها لإنهاء رسوماتها.

كانت رسومات كازو مستمدّة من الواقع، ولم تستخدم في رسمها سـوى أقـلام الرصـاص، فأنجزت أعمـالاً بدت حقيقيـة مثل الصور الفوتوغرافية، لكنها لـم تسـتطع رسـم سـوى الأشـياء التي استطاعت رؤيتها فقط، ولـم تبرز رسـوماتها مطلقاً خيالاً واسـعاً. لا يرى الناس الأشـياء ويسـمعون الأصوات بموضوعية كما يظنـون، فالمعلومات المرئية والسمعية التي تدخل إلى العقل تشوّهها الخبرات، والأفكار، والظروف، والأوهام الجامحة، والتحيّز، والتقدّم، والمعرفة، والوعي والعديـد مـن حيل العقل الأخرى. رسـم بابلو بيكاسـو لوحة متميزة لرجل عارٍ وهو في الثامنة من عمره، وقد اتصفت اللوحة التي رسمها وهـو فـي الرابعة عشـرة من عمـره في أثناء مراسـم القربان المقدّس فـي الكنيسـة الكاثوليكيـة بالواقعيـة. لكـن لاحقـاً، بعـد تلقّيه صدمة انتحار صديقه المقرّب، رسـم لوحات اقتصرت على درجات اللون الأزرق التـي أصبحـت تُعـرف بالفتـرة الزرقاء. وعندمـا التقى بحبيبة جديدة، ابتكر أعمالاً زاهية وملونة عادت إلى الفترة الوردية. ثم تأثر بالمنحوتـات الأفريقيـة، فأصبح جزءاً من الحركة التكعيبية. ثم انتقل إلى أسلوب كلاسيكي جديد، واستمر في السريالية، وفي النهاية رسم الأعمال الشهيرة للوحتي المرأة الباكية وجيرنيكا.

تُظهر هذه الأعمال الفنية مجتمعة العالم كما تراه عينا بيكاسو، إذ إنهـا نتـاج مـا مـرّ بـه من تجـارب. وحتى الآن، لم تسـعَ كازو أبداً

لتحدي أو تغيير مشاعر الأشخاص الآخرين. ويعود هذا إلى أن مشاعرها الخاصة لم تشكل جزءاً من المرشّح الذي تفاعلت من خلاله مع العالم. مهما حدث، حاولت عدم التأثر بالناس عبر إبقاء نفسها على بعد مسافة آمنة منهم، وقد كان هذا أسلوب حياتها.

هذه هي الطريقة التي تعاملت بها مع الجميع، فكان تعاملها البارد مع الزبائن الراغبين في العودة إلى الماضي هو أسلوبها، وقول: «أسباب عودتك إلى الماضي ليست من شأني». لكن هذا كان مختلفاً مع كي، فقطعت هذه المرة وعداً لها، وشجّعتها على الذهاب إلى المستقبل، فكان لأفعالها تأثير مباشر على مستقبلها. وقد فكرت كي أن كازو لديها أسباب وجيهة لسلوكها الجافّ مع الآخرين، لكن هذه الأسباب لم تكن واضحة تماماً.

«أختي». فتحت كي عينيها على صوت كازو، وقد وقفت بجانب الطاولة تحمل صينية فضية وضعت عليها فنجان قهوة أبيض وغلاية فضية صغيرة.

«هل أنت بخير؟».

«نعم، أنا بخير».

عدّلت كي وضعيتها، ووضعت كازو بهدوء فنجان القهوة أمامها.

انحنت قليلاً إلى الأمام، وأحنت رأسها متسائلة: «كم سنة من الآن؟». فكرت كازو للحظة.

أعلنت، «أريد السفر إلى 27 أغسطس، أي بعد عشر سنوات من الآن».

ابتسمت كازو قليلاً عند سماعها التاريخ، وأجابت، «حسناً إذاً».
27 أغسطس هو عيد ميلاد كي: يوم لن تنساه كازو أو ناغاري.

«والوقت؟».

ردّت كي على الفور: «الثالثة من بعد الظهر».

«بعد عشر سنوات من الآن، يوم 27 أغسطس، الساعة الثالثة من بعد الظهر».

قالت كي مبتسمة: «نعم، من فضلك».

أومأت كازو لها إيماءة معبّرة، وأمسكت بمقبض الغلاية الفضية، ثم استأنفت الطقوس المعتادة وفقاً لشخصيتها الباردة: «حسناً اذاً».

نظرت كي إلى ناغاري، ونادته، وقد بدت صافية الذهن: «أراك قريباً».

أجاب حتى من دون أن ينظر إليها: «حسناً».

في أثناء تبادل كي وناغاري بعض الكلمات، التقطت كازو الغلاية ورفعتها فوق فنجان القهوة.

همست: «اشربي القهوة قبل أن تبرد».

تردّد صدى هذه الكلمات في أرجاء المقهى الصامت، ما جعل كي تشعر بالتوتر السائد في الغرفة.

بدأت كازو تصب القهوة، فتدفّق خيط أسود رفيع من الفتحة الضيقة لفوهة الغلاية، وملأت الكوب ببطء، فحدّقت كي إلى كازو لا إلى فنجان القهوة الذي كان على وشك الامتلاء. وعندما امتلأ الفنجان، لاحظت كازو نظرتها، فابتسمت لها بحرارة كما لو أنها أرادت إخبارها، سأتأكد من أنك ستلتقينه...

ارتفع من فنجان القهوة الممتلئ بريق متلألئ من البخار، فشعرت كي أن جسدها يتلألأ كما لو كان تياراً يتماوج مع الريح. وخلال لحظة، أصبحت خفيفة مثل السحابة، وبدأ كل شيء من حولها يتدفّق كما لو كانت تشاهد فيلماً يتم عرضه بسرعة.

اعتادت التفاعل مع مشهد العبور هذا عبر التحديق إلى عيني طفل متلألئتين في مدينة ملاهٍ، ولكن كانت هذه تجربتها الأولى، ولم يكن عقلها منفتحاً على مثل هذه التجربة الغريبة. وقد رفض ناغاري الموضوع تماماً، لكن كازو وقفت إلى جانبها ومنحتها الفرصة. الآن، كانت تنتظر لقاء طفلها، فتذكرت طفولتها بعد استسلامها للدوار المتلألئ.

عانى والد كي، ميشينوري ماتسوزاوا، أيضاً من ضعف في القلب، وقد انهار في العمل عندما كانت كي في الصف الثالث من المرحلة الابتدائية. بعد ذلك، صار يدخل ويخرج من المستشفى بشكل متكرّر، إلى أن توفّي بعد عام واحد. كانت كي وقتها في التاسعة من العمر، وكانت اجتماعية بطبيعتها، ولطالما ابتسمت، وبقيت سعيدة رغم الظروف القاسية. في الوقت نفسه، كانت مرهفة الأحاسيس، وقد أدى غياب والدها إلى شعورها بالخواء العاطفي. لقد واجهت الموت للمرة الأولى، ونظرت إليه على أنه الصندوق المظلم الذي ما أن تدخل إليه، لن تخرج منه أبداً. كحال والدها الذي كان محاصراً هناك، في مكان لا يقابل فيه أحداً، مرعباً وموحشاً. حيث سُلبت لياليه وحُرم من النوم، وكلما فكرت في والدها، تلاشت ابتسامتها تدريجياً.

كان ردّ فعـل والدتهـا توماكـو على وفـاة زوجها عكس ردّ فعل كي، إذ أمضت أيامها مبتسـمة دائماً. ولـم تشـعر من قبل بالراحة كما تشعر بها الآن. لقد بدت هي وميشينوري زوجين عاديين وغير مثيرين للاهتمـام. وقـد بكـت توماكـو في الجنازة، لكن بعـد ذلك اليوم، لم تظهر أي ملامح حزن على وجهها، بل ابتسمت أكثر بكثير مما فعلت من قبل، ولم تستطع كي أن تفهم سبب ابتسامة والدتها الدائمة. إلى أن سألتها يوماً: «لماذا أنت سعيدة للغاية مع أن أبي قد مات؟ ألست حزينة؟».

أجابتها توماكو، التي عرفت أن كي وصفت الموت بالصندوق المظلـم للغايـة: «لـو أمكـن لوالدك رؤيتنا من الصندوق الأسـود، ما الذي تعتقدين أنه سيفكر فيه؟».

لـم تحمـل بقلبهـا سـوى المـودة لزوجهـا الراحل، لـذا، بذلت توماكو قصارى جهدها للإجابة عن السـؤال الذي طرحته كي: لماذا أنت سعيد للغاية؟

«والدك لم يدخل هذا الصندوق لأنه أراد ذلك، كان هناك سبب مـا لذهابـه، ومـا كان عليـه أن يرفـض، ولو رآك والـدك من صندوقه تبكيـن كل يـوم، مـاذا سـيعتقد؟ اعتقـد أن هذا سـيجعله حزيناً، أنت تعرفين كم أحبّك والدك، ألا تعتقدين أنه سـيتألّم عند رؤيته التعاسـة على وجه شخص يحبّه؟ فلماذا لا تبتسمين كل يوم حتى يبتسم والدك من صندوقه؟ إذ تمكّنه ابتسامتنا من الابتسام، وتسمح له سعادتنا أن يبقى سعيداً في صندوقه. عند سماع كي هذا الكلام، امتلأت عيناها بالدموع.

عانقت توماكو كي بشدة وتلألأت عيناها بالدموع التي أخفتها منذ الجنازة.

بعد ذلك سيحين دوري للذهاب إلى الصندوق...

أدركت كي للمرة الأولى مدى صعوبة الأمر على والدها، فضاق صدرها عند تفكيرها في مدى حزنه، مع علمها أن وقته قد انتهى، وتوجب عليه ترك عائلته. لكن مع الأخذ بعين الاعتبار مشاعر والدها أخيراً، فهمت أيضاً بشكل كامل عظمة كلمات أمها، وأدركت أن الحب العميق لزوجها وتفهّمها للظروف سمحا لأمها بقول ما قالته.

* * *

بعد فترة استقرّ كل شيء من حولها تدريجياً، واستعادت شكل جسدها، وها هي صورة كي تظهر من جديد.

وصلت إلى المستقبل أي بعد عشر سنوات تحديداً بفضل كازو، وأول ما فعلته هو النظر في أرجاء الغرفة بعناية.

كانت دعائم الجدار السميكة والعوارض الخشبية على امتداد السقف ذات لون بني غامق لامع، مثل لون الكستناء. وساعات الحائط الثلاث الكبيرة لا تزال في مكانها معلّقة على الجدار، أما الجدران البرونزية ذات الجص الترابي فقد ملأها الصدأ. ولم تسمح الإضاءة الخافتة التي نشرت في المقهى بأكمله لوناً بنياً داكناً بتحديد الوقت حتى في أثناء النهار. وقد أعطت أجواء المقهى القديمة تأثيراً مريحاً. ودارت مروحة السقف الخشبية بكل هدوء، ولم يكن هناك ما يشير إلى أنها تخطّت عشر سنوات في المستقبل.

لكن، أظهر التقويم الممزّق بجوار صندوق المحاسبة أن اليوم

كان بالفعل 27 أغسطس، ولم يكن هناك أي أثر لكازو، وناغاري وكوتاكي، الذين كانوا في المقهى قبل برهة.

وقف مكانهم رجل خلف المنضدة، وحدّق إليها، فشعرت بالارتباك لرؤيته.

ارتدى قميصاً أبيض، وصدرية سوداء، وربطة عنق، كما سرّح شعره بطريقة تقليدية، فكان قصيراً من الخلف والجانبين. وبدا من الواضح أنه يعمل في المقهى. إذ وقف وراء المنضدة، ولم يكن متفاجئاً من ظهور كي على الكرسي فجأة، لذا لا بد أنه يعلم بطبيعة الكرسي الذي جلست عليه.

تابع التحديق إلى كي من دون أن يقول شيئاً، وكأن تجنُّب التعامل مع الشخص الذي يظهر على الكرسي هو بالضبط الطريقة التي سيتصرّف بها أي نادل في هذا المقهى. وبعد فترة، بدأ الرجل بتلميع الكوب الذي حمله. بدا كما لو أنه في أواخر الثلاثينيات من عمره، أو ربما في أوائل الأربعينيات، وهو نادل عادي. لم يكن ودوداً للغاية، كما غطّت وجهه ندوب حروق عميقة امتدت من فوق حاجبه الأيمن إلى أذنه اليمنى، مما منحه مظهراً مخيفاً إلى حدّ ما.

«المعذرة...».

لم تبالِ كي عادة بما إذا كان الشخص ودوداً أم لا. إذ يمكنها بدء محادثة مع أي شخص ومخاطبته كما لو كانت صديقته منذ سنوات، ولكنها شعرت ببعض الارتباك في تلك اللحظة نظراً للظروف. لذا، واجهت صعوبة في التحدث إلى الرجل كما لو كانت أجنبية تحاول التحدّث بلغة مختلفة.

«أين المدير؟».

«المدير؟».

«هل مدير المقهى هنا؟».

أعاد الرجل الواقف وراء المنضدة الكوب الملمّع إلى الرف.

«أنا آسف، ماذا هناك؟».

«ماذا؟».

«أنا أسف».

«أنت؟ أنت المدير؟».

«نعم».

«مدير هذا المكان؟».

«نعم».

«مدير هذا المقهى؟».

«حقاً؟».

«نعم».

اتكأت كي على الكرسي من هول المفاجأة، لا يمكن أن يكون ذلك صحيحاً!

دُهش الرجل الواقف وراء المنضدة من ردّ فعلها، وتوقف عما كان يفعله وخرج من خلف المنضدة. وقال بانزعاج: «ماذا، ما المشكلة بالضبط؟». ربما كانت هذه المرة الأولى التي ينفعل فيها شخص ما لمعرفة أنه هو المدير.

حاولت كي جاهدة استيعاب الموقف. ماذا حدث خلال هذه السنوات العشر؟ لم تستطع فهم كيف أمكن حدوث هذا. أرادت أن

تسأل الرجل الذي أمامها الكثير من الأسئلة، لكن اضطراب أفكارها، وضيق الوقت الذي كان محدوداً جداً منعاها من ذلك. وفي حال بردت القهوة سيكون مجيئها إلى المستقبل قد ذهب سدى.

استجمعت قوّتها ونظرت إلى الرجل الذي حدّق إليها بقلق.

يجب أن أهدأ...

«مم...».

«نعم؟».

«ماذا عن المدير السابق؟».

«المدير السابق؟».

«الرجل الضخم، ضيق العينين...».

«تقصدين ناغاري...».

«صحيح!».

عرف الرجل ناغاري على الأقل، ما جعلها تسترخي قليلاً وتميل إلى الأمام.

«ناغاري في هوكايدو الآن».

«هوكايدو...».

«نعم».

ومضت عيناها في ذهول، واحتاجت إلى سماع ذلك مرة أخرى.

«هوكايدو؟».

«نعم».

بدأت تشعر بالدوار، إذ لم يسر الأمر كما خطّطت له، ولم يذكر ناغاري أي شيء عن هوكايدو منذ أن تعرّفت إليه.

«لكن لماذا؟».

قال الرجل وهو يفرك جبينه: «لا يمكنني الإجابة».

شعرت بالهلع الشديد، ولم تفهم شيئاً مما يحدث.

«هل جئت لمقابلة ناغاري؟».

أخطأ الرجل في تخمين سبب مجيئها غير مدرك رغبتها الحقيقة، لكن كي فقدت حينها أي رغبة في الإجابة.

كان كل هذا عديم الجدوى، لطالما فشلت في تحليل الأمور بعقلانية، واعتمدت دائماً على حدسها في اتخاذ القرارات. لذلك عندما واجهت موقفاً كهذا، احتارت تماماً ولم تتمكّن من فهم ما يحدث، أو كيفية حدوثه. اعتقدت أنها ستستطيع مقابلة طفلها بذهابها إلى المستقبل. عندما لاحظ الرجل أن مزاجها بدأ يتعكّر ىسألها: «إذاً، أتيت لمقابلة كازو؟».

صرخت كي، بعد أن رأت أملاً جديداً فجأة: «وجدتها!».

كيف أمكنها أن تنسى! لقد ركّزت على سؤال الرجل عن المدير، لكنها نسيت شيئاً مهمّاً، إن كازو هي من شجعتها على الذهاب إلى المستقبل، وهي التي قطعت الوعد. ولا يهمّ الآن إذا كان ناغاري في هوكايدو، طالما أن كازو هنا، ولم يعد هناك من مشكلة. لذا، حاولت ضبط حماستها وهي تسأله بسرعة: «ماذا عن كازو؟».

«ماذا؟».

«كازو! هل كازو هنا؟».

لو أن الرجل يقف قريباً منها، لكانت سحبته من قميصه.

أجبره انفعالها على التراجع بضع خطوات: «هل هي هنا أم لا؟».

تجنّب الرجل النظر إلى كي، بسبب ارتباكه من أسئلتها السريعة: «اسمعي...» أجاب بحذر: «الحقيقة... كازو في هوكايدو أيضاً».

لقد انتهى الأمر... حطّم ردّ الرجل آمالها تماماً.

«يا إلهي، ولا حتى كازو هنا؟».

نظر إلى كي بقلق، وقد بدت وكأنها قد استنزفت كل طاقاتها.

سألها: «هل أنت بخير؟».

نظرت إليه وسألته أليس هذا واضحاً تماماً؟ لكنه لم يملك أي فكرة عن وضعها، وبالتالي لم يكن هناك ما يمكن أن يقوله.

أجابت بحزن: «نعم، أنا بخير...».

أمال الرجل رأسه في ارتباك، وعاد إلى خلف المنضدة.

بدأت كي تفرك بطنها.

لا أعرف لم، ولكن إن كان هذان الاثنان في هوكايدو، فلا بد أن الطفل سيكون معهما هناك أيضاً... لا يبدو أن الأمور ستجري كما أردت.

أحنت كتفيها، وتراجعت إلى الوراء بيأس، إذ كانت تدرك مسبقاً أن في الأمر مقامرة، ولو وقف الحظ إلى جانبها، لكانا سيلتقيان. لقد علمت كي ذلك، إذ لو كان لقاء الناس في المستقبل بهذه السهولة، لحاول الكثير من الأشخاص تجربة ذلك.

على سبيل المثال، لو اتفقت فوميكو كيوكاوا وغورو على الالتقاء في المقهى في غضون ثلاث سنوات. فحينها، كان من الممكن أن يجتمعا بكل تأكيد، ولكن في سبيل حصول هذا، يجب على غورو أن يفي بوعده بالمجيء، وسيكون هنالك العديد من

الأسـباب التـي قـد تمنعـه من الوفـاء بهذا الوعد. قد يحـاول القدوم بالسـيارة فيعلـق فـي زحمـة المـرور، أو قـد يقرّر أن يأتي مشـياً على الأقدام، أو قد يضطرّ إلى تغيير مسـاره بسـبب إصلاح الطرق، وربما يوقفـه أحدهـم ليسـأله عـن موقع ما، أو قد يضـلّ طريقه. وقد تمطر السـماء بغزارة فجأة أو تحدث كارثة طبيعية، وربما يدركه النوم، أو ببسـاطة يخطـئ تحديـد الوقت الذي كان مـن المقرر أن يجتمعا فيه. باختصار، المستقبل غير مستقرّ.

مع أخذ هذا بعين الاعتبار، أياً يكن سبب وجود ناغاري وكازو فـي هوكايـدو، فإنـه يقع ضمن نطاق الأشـياء التي يمكن أن تحدث. تقع هوكايدو على بعد ألف كيلومتر، وكان من المفاجئ سماع أنهما قطعا كل هذه المسافة، لكن حتى لو فصلهما عنها محطة قطار واحدة فقط، فهما غير قادرين على العودة إلى المقهى قبل أن تبرد القهوة.

لنفترض أنها عادت إلى الحاضر، وأبلغت الجميع هذا التحول فـي الأحـداث، فلـن يغيّـر ذلك حقيقـة أنهما كانا فـي هوكايدو. لقد عرفـت كـي القاعـدة، وأدركت أن حظّها ببسـاطة لـم يحالفها. وبعد إعادة التفكير ملياً، بدأت تتمالك نفسها. فالتقطت الفنجان وارتشفت منه رشفة، ولكن لا تزال القهوة دافئة، ويمكنها تغيير حالتها المزاجية بسرعة، وهي إحدى مواهبها الأخرى للعيش بسعادة، كما يمكن أن تكون تقلّباتها سريعة، لكن لم يطل أمدها أبداً. من المؤسف أنها لم تستطع مقابلة طفلها، لكنها لم تندم على القدوم. لقد حققت رغباتها، وتمكّنت من السـفر إلى المسـتقبل، كما أنها لـم تشـعر بالغضب من كازو أو ناغـاري، إذ بالتأكيـد كان لديهمـا سـبب وجيه لتخلّفهما عن

الحضور، فمن غير المعقول أنهما لم يبذلا قصارى جهدهما ليكونا حاضرين لمقابلتها.

بالنسبة إليّ، تمّ قطع الوعد قبل بضع دقائق فقط، لكن مضت عشر سنوات على ذلك. حسناً... ليس باليد حيلة، ربما علي تخيّل أننا التقينا بعد عودتي...

مدت كي يدها نحو إناء السكر فوق الطاولة.

صوت جرس الباب

رنّ الجرس في أثناء إضافتها السكر إلى قهوتها، أوشكت على قول جملتها المعتادة: «مرحباً، أهلاً بكم!». لكن الرجل رحّب بالزبائن قبلها.

عضّت كي على شفتها ونظرت إلى المدخل.

قال الرجل: «هذه أنت».

أجابت فتاة بدت وكأنها في المرحلة الإعدادية، تبلغ الرابعة أو الخامسة عشرة من عمرها: «مرحباً، لقد عدتِ».

ارتدت ملابس صيفية خفيفة، قميصاً أبيض مكشوف اليدين، وبنطال جينز قصيراً، وانتعلت صندلاً ذا أربطة. وصففت شعرها بدقة على شكل ذيل حصان وربطته بمشبك شعر أحمر.

أوه...إنها الفتاة من ذلك اليوم.

تعرّفت كي إليها ما أن رأت وجهها، كانت تلك هي الفتاة التي أتت من المستقبل وطلبت التقاط صورة معها. ارتدت ملابس شتوية في ذلك الوقت، وكان شعرها قصيراً، لذا بدت مختلفة قليلاً، ولكن

كي تذكرت دهشتها عند رؤيتها لتلك العينين الجميلتين والكبيرتين.

هذا هو المكان الذي التقينا فيه.

أومأت كي باستغراب وشبكت ذراعيها. في ذلك الوقت، اعتقدت أنه من الغريب أن يزورها شخص لم تعرفه، لكن الأمر أصبح منطقياً الآن.

ألتقت كي بالفتاة: «التقطنا صورة معاً، أليس كذلك؟».

لكنها بدت وكأنها محتارة.

سألت بتردّد: «أنا آسفة، ما الذي تتحدّثين عنه؟».

أدركت كي خطأها.

حسناً، فهمت...

لا بدّ أن هذه الفتاة قد أتت قبل لقائنا في الماضي، ومن الواضح أن سؤالها لن يكون له أي معنى في هذه الحالة.

قالت مبتسمة للفتاة: «إنسي ما قلته، ما من شيء مهمّ». لكن بدت الفتاة وكأنها قد شعرت بالتوتر.

أومأت لها برأسها بطريقة مهذبة، وذهبت إلى الغرفة الخلفية.

حسناً، هذا يشعرني بالتحسّن.

شعرت كي بسعادة أكبر الآن، لقد جاءت إلى المستقبل، وتفاجأت بوجود رجل غريب بدلاً من كازو وناغاري. فبدأت تشعر بالاكتئاب من احتمال عودتها إلى المنزل من دون حدوث ما أرادته، ولكن كل هذا تغيّر عندما ظهرت هذه الفتاة.

لمست فنجانها لتتأكّد من أنه لا يزال دافئاً.

يجب أن نصبح صديقتين قبل أن تبرد القهوة.

امتلأ صدرها بالسرور والبهجة عندما فكّرت في إمكان حصول لقاء بين شخصين ينتميان إلى زمنين مختلفين.

عادت الفتاة إلى صالة المقهى.

أوه...

حملت مئزراً بلون أحمر نبيذي.

هذا هو المئزر الذي اعتدت استخدامه!

لـم تنسَ كـي هدفهـا الأصلـي، لكنها لـم تكن من النـوع الذي سيغضب بسبب أشياء لن تحدث. لقد غيّرت خطتها، ستصادق هذه الفتاة المثيرة للاهتمام. أطل الرجل من المطبخ، ونظر إلى الفتاة التي حملت المئزر.

«ليس عليك تقديم المساعدة اليوم. على كل حال... هناك زبونة واحدة فقط.»

لكن الفتاة لم تجبه، وظلّت واقفة خلف المنضدة.

لـم يبـدُ الرجـل عازمـاً علـى الإلحاح فـي طلبه، فانسـحب إلى المطبخ، وبدأت الفتاة تمسح المنضدة.

أنتِ! انظري إلى هنا!

حاولـت كـي جاهـدة لفـت انتباه الفتاة من خلال إمالة جسـدها يمينـاً ويسـاراً، لكـن الفتاة لم تنظـر إليها ولا حتى مرة واحدة. ولكن ذلك لم يخمد حماسة كي.

كونها تساعد في أعمال المقهى، هل يعني ذلك أنها ابنة المدير؟

فكّرت كي بهذه الاحتمالات.

صوت رنين الهاتف

أمكن كي سماع صوت رنين الهاتف المزعج من الغرفة الخلفية.

فقاومت ردّ فعلها المبرمجة على الردّ عبر الهاتف: «أنا...» لم يتغيّر صوت الهاتف على الرغم من مضي عشر سنوات.

مهلاً... انتبهي... كان ذلك وشيكاً...

كادت أن تخالف القاعدة وتنهض عن الكرسي، كان بمقدورها النهوض عن الكرسي، ولكن إن فعلت ذلك ستعود إلى الحاضر حالاً.

خرج الرجل من المطبخ ونادى: «سأجيب». ثم ذهب إلى الغرفة الخلفية للردّ عبر الهاتف. فمسحت كي جبينها وتنهّدت بارتياح، وقد أمكنها سماع حديث الرجل.

«نعم، مرحباً؟ هذا أنت! كيف حالك! نعم، هي... حسناً، لحظة. سأناديها...».

خرج الرجل فجأة من الغرفة الخلفية.

هممم؟

أحضر الرجل الهاتف إلى كي.

قال وهو يمرّر لها السماعة: «مكالمة لك».

«لي؟».

«إنه ناغاري».

تناولت الهاتف على الفور عندما سمعت اسم ناغاري.

قالت بصوت عالٍ بما يكفي ليدوّي في جميع أنحاء المقهى:

«مرحباً! لماذا أنت في هوكايدو؟ هل يمكنك أن تشـرح لي ما الذي يحدث؟».

أدار الرجل، الذي لم يستوعب الموقف، ظهره في ارتباك، وعاد إلى المطبخ.

ولم تظهر الفتاة أي ردّ فعل كما لو كانت غافلة عن صوت كي العالي، بل استمرت ببساطة في فعل ما كانت تقوم به.

«ماذا تقول؟ ليس هناك وقت؟ أنا من ليس لديه وقت!». كادت القهوة تبرد وهي تتحدث مع ناغاري. وضعت سـمّاعة الهاتف أمام أذنهـا اليسـرى وهـي تسـدّ بيدها أذنهـا اليمنى، «أنا بالكاد أسـمعك! مـاذا؟». لسـبب مـا، كان هنـاك ضجيج رهيب فـي الطرف الآخر من السمّاعة مما صعّب عليها سماع أي شيء. «ماذا؟ تلميذة مدرسة؟». وواصل ناغاري تكرار ما كان يقوله.

سـألت وهـي تنظـر إلى الفتـاة، التي توقّفت عن القيام بما كانت تفعلـه بينمـا حاولـت تجنّب نظرتها: «نعم، إنها هنا. الفتاة التي زارت المقهـى منـذ حوالـي أسـبوعين، جاءت من المسـتقبل لتلتقط صورة معي، نعم، نعم، وماذا عنها؟».

تسـاءلت كـي وهـي مسـتمرّة بحديثها مـع ناغاري: لمـاذا تبدو متوترة للغاية؟، أزعجها ذلك، لكن وجب عليها التركيز والاسـتماع إلى المعلومات المهمّة التي يخبرها ناغاري بها.

«كمـا أخبرتـك، بالـكاد يمكننـي سـماع مـا تقولـه. مـاذا؟ تلك الفتاة؟».

ابنتنا.

في تلك اللحظة، بدأت ساعة الحائط الوسطى تدقّ، صوت دقّ الساعة... تكرّر عشر مرات.

عندها أدركت كي إن الوقت الذي وصلت إليه في المستقبل ليس الثالثة بعد الظهر، بل العاشرة صباحاً، فاختفت الابتسامة عن وجهها.

أجابت بصوت ضعيف: «حسناً، صحيح». أنهت المكالمة، ووضعت السماعة على المنضدة.

كانت تتطلّع للتحدّث إلى الفتاة، لكن بدا تعبيرها الآن شاحباً، ومن دون أي أثر لتلك النظرة البراقة التي ارتسمت على وجهها قبل لحظات فقط. أوقفت الفتاة ما كانت تفعله، وبدت هي الأخرى في غاية القلق، فمدّت كي يدها ببطء، وحملت الفنجان لتتحقّق من درجة حرارة القهوة. لا تزال دافئة، وهنالك بعض الوقت قبل أن تبرد كلياً.

استدارت، ونظرت إلى الفتاة مرة أخرى.

طفلتي...

أدركت فجأة أنها الآن وجهاً لوجه مع طفلتها. صعب سماع مضمون المكالمة الهاتفية بسبب التشويش، لكنها فهمت ما أراد أن يخبره به ناغاري.

لقد خطّطت للسفر إلى ما بعد عشر سنوات في المستقبل، ولكن حدث خطأ ما وقد تقدّمت في الزمن خمسة عشر عاماً. يبدو أن الأمور قد اختلطت بين التوقيت المحدّد وعدد السنوات التي أردتِ تخطيها. لقد سمعنا عن حصول ذلك عند العودة من المستقبل، ولكن الآن، نحن في هوكايدو لأسباب لا مفرّ منها ولن أخوض بها لأنه لا

يوجد وقت، فالفتاة التي ترينها أمامك هي ابنتنا. ولم يبقَ لديك الكثير من الوقت، لذا عليك التعرّف إلى ابنتنا التي تتمتّع بصحّة جيدة، والعودة إلى المنزل.

لا بدّ أن ناغاري كان قلقاً بشأن الوقت الذي تبقى لكي بعد قوله كل ذلك، فأغلق ببساطة الهاتف في وجهها. بعد أن علمت أن الفتاة التي أمامها هي ابنتها، لم يكن لديها أي فكرة عن كيفية التحدث إليها.

لم تشعر فقط بالارتباك والذعر، بل انتابها إحساس شديد بالندم.

ما ندمت عليه كان بسيطاً جداً. لم يكن لديها أدنى شك أن الفتاة تعلم أنها والدتها، لكن كي اعتقدت أن الفتاة كانت ابنة شخص آخر، لأن فارق السن بينهما كان كبيراً جداً. وعلى الرغم من أنها لم تلاحظه من قبل، سمعت كي فجأة صوت دقّات ساعات الحائط. يبدو أن تلك الدقّات خاطبتها قائلة: «الوقت يمرّ، ستبرد القهوة!». وبالفعل لم يبقَ الكثير من الوقت.

لكن كي رأت في وجه الفتاة المتجهّم إجابة عن السؤال الذي أرادت أن تسأله ولم تتمكن من ذلك بعد، هل يمكنك أن تسامحيني لأن كل ما أمكنني فعله هو أن أحضرك إلى هذا العالم؟ ألقى وجهها المتجهّم بظلاله على قلب كي التي بذلت جهداً كبيراً لتفكر بما ستقوله لها.

سألتها: «ما اسمك؟».

لكن الفتاة أحنت رأسها في صمت من دون أن تجيب عن السؤال البسيط.

فسّرت كي هذا التصرف على أنه دليل آخر على أنها تلقي باللوم

عليها.

أحنت رأسها غير قادرة على تحمّل الصمت. ثم...

عرّفت الفتاة عن اسمها بصوت خافت وحزين: «ميكي».

أرادت كي طرح العديد من الأسئلة عليها، لكن بعد سماعها صوت ميكي الخافت، تردّدت في التحدث إليها.

كل ما أمكنها قوله هو: «ميكي، يا له من اسم لطيف...».

بقيت ميكي صامتة، وهي تنظر إلى كي كما لو أنها لم تعجبها ردّ فعلها، واندفعت نحو الغرفة الخلفية. في تلك اللحظة، أخرج الرجل رأسه من المطبخ.

نادى: «ميكي، هل أنت بخير؟». لكن ميكي تجاهلته، ودخلت الغرفة الخلفية.

صوت جرس الباب

«مرحباً، أهلاً وسهلاً!».

دخلت امرأة إلى المقهى بينما ألقى الرجل تحيته. كانت قد ارتدت قميصاً أبيض قصير الكمين، وبنطالاً أسود، ومئزراً باللون الأحمر النبيذي. لا بد أنها جرت تحت الشمس الحارقة، لأنها وقفت هناك تلهث وتتصبّب عرقاً.

«عرفتها!». تعرفت إليها كي، أو على الأقل، كان من الممكن التعرّف إلى ملامحها.

شعرت كي أن خمسة عشر عاماً قد مرّت، وهي تنظر إلى المرأة وهي تلهث. إنها فوميكو كيوكاوا، المرأة التي سألت كي ذات يوم إذا

كانت بخير. وقتها كانت فوميكو نحيلة، ولكن وزنها الآن ازداد كثيراً.

لاحظت فوميكو أن ميكي لم تكن موجودة، فسألت الرجل: «أين ميكي؟».

لابدّ أنها عرفت أن كي ستأتي في هذا الوقت تحديداً، فراودها هذا الشعور بإلحاح. من الواضح أن نبرة صوتها أربكت الرجل.

أجاب متعجباً: «في الخلف».

سألته وهي تصفق يدها على الطاولة: «لماذا؟».

سألها من دون تردّد: «ماذا؟». بدأ يفرك الندبة فوق حاجبه الأيمن من دون أن يملك أدنى فكرة عن سبب عصبيّتها.

تنهّدت محدّقة إلى الرجل: «لا أصدق هذا».

لكنها لم ترد أن تضيّع الوقت في الاتهامات، إذ سبق وأخطأت بتأخّرها عن مثل هذا الحدث المهمّ.

سألت كي بصوت ضعيف: «إذاً أنت من يهتمّ بهذا المقهى؟».

أجابت فوميكو وهي تنظر إليها مباشرة: «نعم».

«هل تحدّثت إلى ميكي؟».

كان سؤالاً مباشراً لدرجة أن كي شعرت بعدم القدرة على الإجابة، واكتفت بالنظر إلى الأسفل.

ألحّت فوميكو: «هل تحدّثتما بشكل مباشر؟».

تمتمت كي: «لا أعرف...».

«سأذهب وأناديها».

قالت كي بشكل أوضح: «لا، لا بأس!». وأوقفت فوميكو، التي كانت تشق طريقها إلى الغرفة الخلفية.

«لماذا؟».

قالت كي بصعوبة: «رأينا وجهي بعضنا بعضاً وهذا يكفيني».

«بالله عليك».

«لم تبدُ وكأنها تريد مقابلتي...».

أجابتها فوميكو بحزم: «بل إنها تريد، لقد أرادت ميكي حقاً مقابلتك. وقد انتظرت هذا اليوم بفارغ الصبر منذ فترة طويلة...».

«أشعر أنني تسبّبت لها بالكثير من الحزن».

«بالطبع مرّت أوقات شعرت فيها بالإحباط».

«مثلما توقّعت...».

مدّت كي يدها لتناول فنجان القهوة. رأتها فوميكو تفعل ذلك.

قالت فوميكو مدركة أنها فشلت بإقناعها بالبقاء: «إذاً ستعودين وتتركين كل شيء على ما هو عليه؟».

«هل يمكنك أن تخبريها أنني آسفة...».

فجأة، أصبحت تعابير وجه فوميكو كئيبة عند سماعها كلمات كي: «لكن هذا...لا أعتقد أنك تقصدين ذلك. هل أنت نادمة على إنجاب ميكي؟ ألا ترين أن اعتذارك يمكن أن يعني فقط أن إنجابها كان مجرد غلطة؟».

أنا لم أنجبها بعد، لكني لا أزال مصرّة على إنجابها.

قالت فوميكو عند رؤيتها كي تهزّ رأسها بقوّة: «دعيني أنادي ميكي»

لم تستطع كي الردّ.

لم تنتظر فوميكو سماع ردّ كي، بل ذهبت ببساطة إلى الغرفة

الخلفية، مدركة جيداً أن الوقت كان مهماً.

قال الرجل وهو يتبعها إلى الغرفة الخلفية: «انتظري، فوميكو».

ماذا عليَ أن أفعل؟

حدّقت كي إلى فنجان القهوة الذي أمامها بينما بقيت وحيدة في المقهى.

فوميكو محقّة، ولكن يبدو أن هذا يزيد من صعوبة إيجاد ما يجب قوله.

ثم ظهرت ميكي، وكانت فوميكو تضع يديها على كتفيها. نظرت ميكي إلى الأرض بدلاً من النظر إلى كي.

قالت فوميكو: «تعالي يا حلوتي، لا تضيّعي هذه اللحظة».

ميكي....

قصدت كي قول اسمها بصوت عالٍ، لكن لم يصدر أي صوت مسموع.

قالت فوميكو وهي ترفع يديها عن كتفي ميكي: «حسناً».

نظرت بسرعة إلى كي ثم تراجعت إلى الغرفة الخلفية.

استمرّت ميكي في النظر إلى الأرض بصمت، حتى بعد رحيل فوميكو.

عليّ قول شيء ما....

أبعدت كي يدها عن الفنجان، وتنفّست بعمق.

سألتها: «هل أنت بخير؟».

رفعت ميكي رأسها قليلاً، ونظرت إلى كي، وقالت بصوت هادئ متردّد: «نعم».

«هل تساعدين في أعمال المقهى؟».

«أجل».

بـدت إجابـة ميكـي واضحة وقصيـرة، ما جعل كي تجد صعوبة في مواصلة الحديث.

«ناغاري وكازو في هوكايدو معاً؟».

«نعم».

استـمرّت ميكـي فـي تجنّـب النظـر إلى وجه كي التـي تحدّثت بهـدوء أكثـر فـي كل مـرة أجابـت فيها عن أسـئلتها، وإن لـم يبدُ أنها أرادت التحدّث كثيراً.

سألت كي بتسرع: «لماذا بقيت هنا؟».

عذراً...

شعرت كي بالندم على طرح هذا السؤال ما إن نطقت به، على الرغم من أن غايتها من السؤال هي سماع ميكي تقول إنها بقيت حتى تتمكّن من مقابلتها، ولكنها عرفت كم يبدو هذا السؤال الصريح خالياً من المشاعر، ما جعلها تغضّ طرفها محرجة.

لكن بعد ذلك بدأت ميكي تتحدّث بصوتها الناعم: «حسناً، كما ترين... أنا أُعدّ القهوة للأشخاص الذين يجلسون على هذا الكرسي».

«تعدّين القهوة؟».

«نعم، كما اعتادت أن تفعل كازو».

«أوه».

«إنها وظيفتي الآن».

«حقاً؟».

«أجل».

لكن فجأة توقّفت المحادثة بينهما، ولم تعرف ميكي ما عليها أن تقول، فحدّقت إلى الأرض، ولم تتمكّن كي من العثور على أي كلمة، ولكن لا يزال هناك شيء واحد أرادت السؤال عنه.

جلبتك إلى هذا العالم وهذا هو الشيء الوحيد الذي استطعت تقديمه لك، فهل يمكنك أن تسامحينني على ذلك؟

لكن ربما سببت لها الكثير من الحزن، فكيف يمكنها طلب الغفران؟

شعرت كي بالأنانية لمجيئها بسبب ردّ فعل ميكي، ووجدتْ صعوبة كبيرة في النظر إليها، فالتفتت إلى القهوة التي أمامها.

ارتجف سطح القهوة الذي ملأ الفنجان قليلاً، وتوقف تصاعد البخار بسبب انخفاض درجة حرارة الفنجان، فقد اقترب وقت مغادرتها.

ما الذي جئت إلى هنا لأفعله؟ هل كان هناك أي مغزى من مجيئي من المستقبل؟ أصبح كل هذا بلا جدوى الآن. الشيء الوحيد الذي نتج عن ذلك هو تسبّبي بالمزيد من المعاناة لميكي، وعندما أعود إلى الماضي، مهما حاولت، ستظلّ ميكي تعسة.

لا يمكن تغيير ذلك، فعلى سبيل المثال، كوتاكي التي عادت إلى الماضي لم تتمكّن من علاج فوساغي، وكذلك، لم تقدر هيراي على حماية أختها من الموت.

حصلت كوتاكي على رسالتها، والتقت هيراي بأختها.

لا يزال مرض فوساغي يتفاقم، ولن ترى هيراي أختها مرة

أخرى.

الأمر مشابه بالنسبة إليّ أيضاً، فلا يوجد ما يمكنني القيام به، لتغيير السنوات الخمس عشرة التي قضتها ميكي حزينة.

على الرغم من أنها حقّقت رغبتها في زيارة المستقبل، إلا أنها لا تزال تشعر بيأس تام.

قالت كي وهي تمدّ يدها وتتناول فنجان القهوة: «حسناً، لا يجب أن تبرد القهوة...».

حان وقت العودة.

لكنها سمعت في تلك اللحظة صوت خطوات تقترب منها، لقد كانت خطوات ميكي وهي متّجهة نحوها.

أعادت الفنجان إلى الطاولة، ونظرت مباشرة إلى ابنتها.

ميكي...

لم تعرف كي ما الذي فكرت فيه ميكي، لكنها لم تستطع أن تبعد عينيها عن وجهها. وقفت ميكي بالقرب من كي، لدرجة أنه أصبح بإمكانها أن تلمسها.

تنفسّت ميكي بعمق، وقالت بصوت مرتجف: «قبل قليل... عندما قلت لفوميكو أنني لا أريد مقابلتك... لم أكن أعني ما قلته».

استمعت كي بحرص إلى كل كلمة قالتها.

«لطالما اعتقدت أنه إذا التقينا، سأرغب في التحدث إليك...».

كان هناك الكثير من الأشياء التي أرادت كي أن تسألها عنها أيضاً.

«لكن عندما حصل ذلك حقاً، لم أعرف ما عليّ قوله...».

بدورها لم تعرف كي ما ينبغي عليها أن تقوله. شعرت بالرهبة بسبب مشاعر ميكي، لقد فشلت في رصف الحروف لتتمكن من نطق كل تلك الكلمات والأسئلة التي فكرت بها.

«نعم... مرت أوقات شعرت فيها بالحزن».

استطاعت كي أن تتخيل ذلك، وقد آلمها التفكير بتعاسة ميكي.

لم أستطع تغيير تلك الأوقات الحزينة التي عشتها.

ابتسمت ميكي بخجل وهي تقترب خطوة صغيرة: «لكن... أنا سعيد حقاً بالحياة التي منحتني إياها.»

يتطلب الأمر قدراً كبيراً من الشجاعة لقول تلك الكلمات.. لا شكّ أن ميكي استجمعت كل شجاعتها للتعبير عن مشاعرها للأم التي التقت بها للتو. وقد تخلّل صوتها بعض الشكّ، لكنها نقلت مشاعر حقيقية.

لكن...

بدأت الدموع تتدفّق من عيني كي.

لكن إنجابك هو الشيء الوحيد الذي سأتمكّن من تقديمه لك.

انهمرت دموع ميكي أيضاً، لكنها استخدمت كلتا يديها لمسحها، وابتسمت بلطف.

قالت بصوت متوتر ومتحمّس: «أمي». لم تتمكّن كي من سماعها بوضوح.

نادت ميكي أمها.

لكنني لم أقدّم لك شيئاً...

غطت كي وجهها بكلتا يديها، وارتجف كتفاها وهي تبكي.

«أمي».

فجأة تنبّهت كي أن ابنتها تناديها مرة أخرى، لابدّ أن وقت الوداع قد أصبح قريباً.

ابتسمت كي بتعجّب: «ماذا؟».

أجابت ميكي، وعلت على وجهها ابتسامة عريضة: «شكراً لك».

«شكراً لأنك أنجبتني. شكراً لك...».

نظرت إلى كي ثم رفعت إصبعي يدها على شكل إشارة الانتصار.

«ميكي».

«أمي».

في تلك اللحظة، غمرت السعادة قلب كي: إنها والدة هذه الفتاة، ليست مجرد والدة، بل هي أم الفتاة التي تقف أمامها. لم تستطع منع دموعها من التدفّق.

لقد فهمت أخيراً.

لم يتغير الحاضر بالنسبة إلى كوتاكي، لكنها منعت الجميع من استخدام اسمها الأصلي قبل الزواج، وغيّرت موقفها تجاه فوساغي، وستبقى مع فوساغي كما ستبقى زوجته، رغم أنها اختفت من ذاكرته. كما تخلت هيراي عن حانتها الشهيرة لتعود إلى عائلتها، وتتعلّم الطرق التقليدية لإدارة النزل بدءاً من الصفر، وقد أصلحت علاقتها بوالديها.

الحاضر لا يتغيّر.

لم يتغيّر وضع فوساغي، لكن أصبحت كوتاكي تستمتع

بمحادثاتها إليه. وخسرت هيراي أختها، لكن الصورة التي أرسلتها إلى المقهى أظهرت أنها سعيدة مع والديها.

إن الحاضر لم يتغيّر، لكن هذين الشخصين تغيّرا، وعادت كل من كوتاكي وهيراي إلى الحاضر بمفاهيم ومشاعر جديدة.

أغمضت كي عينيها برفق.

لقد انغمست في الأشياء التي لم تستطع تغييرها، ونسيت أهم شيء.

حاولت فوميكو أن تحلّ مكان كي، فظلّت إلى جانب ميكي طوال الخمسة عشر عاماً، بينما ظل ناغاري إلى جانب ابنته ميكي كونه أباها، فغمرها بالحب، ولا شكّ أنه بذل قصارى جهده للتعويض عن غياب أمها. كما حاولت كازو مساعدة فوميكو أيضاً في الحلول مكان كي، فأغدقت عليها من حنانها، وأدّت دور الأم والأخت الكبرى. لقد أدركت أن كل هؤلاء الأشخاص المحبّين وقفوا إلى جانب ميكي، وساهموا بتنشئتها بإخلاص طوال الخمسة عشر عاماً التي مرّت عليها من دونها، موفّرين لها السعادة.

شكراً لك على نشأتك بسعادة وبصحة جيدة، لقد جعلتني سعيدة جداً بما قلته. هذا كل ما أريد أن أقوله لك... هذا ما أشعر به في أعماقي.

«ميكي...» ابتسمت كي أجمل ابتساماتها لميكي، بينما تركت دموعها تتدفّق على وجهها: «شكراً لك، أنا فخورة لأني أنجبتك».

غمرت الدموع وجه كي فور عودتها من المستقبل، لكن اتّضح للجميع على الفور أن هذه لم تكن دموع حزن.

تنهّد ناغاري بارتياح وانفجرت كوتاكي بالبكاء.

لكـن كازو ابتسـمت بلطـف، وكأنهـا رأت مـا حدث بنفسـها، وقالت: « أهلاً بعودتك».

فـي اليـوم التالـي، دخلـت كي إلى المستشـفى، وفي ربيع العام التالي، أتت طفلة جميلة وبصحة جيدة إلى هذا العالم.

ذكرت المقالة في المجلة عن الأسطورة الحضرية، «في النهاية، سواء أعاد المرء إلى الماضي أم سافر إلى المستقبل، فإن الحاضر لا يتغيّر. ذلك يطرح السؤال: ما هو دور هذا الكرسي؟».

لكن كازو لا تزال تعتقد أنه على الرغم من شدّة الصعوبات التي يواجهها الناس، فهم سيتحلون دائماً بالقوة للتغلب عليها، لأن الأمر يتطلب الشجاعة فقط، وإذا أمكن للكرسي تغيير مفاهيم شخص ما، فمن الواضح أن له هدفاً سامياً».

ولكن كي سـتكتفي دائماً بقول: «اشـرب القهوة قبل أن تبرد». بينما ترتسم على وجهها التعابير الباردة نفسها.